# ASTRID ET VERONIKA

# LINDA OLSSON

# ASTRID
## ET
# VERONIKA

*traduit de l'anglais*
*par Mélanie Carpe*

*l'Archipel*

Ce livre a été publié sous le titre
*Let me sing you gentle song*
par Penguin New Zeland, 2005.

www.editionsarchipel.com

Si vous souhaitez recevoir notre catalogue
et être tenu au courant de nos publications,
envoyez vos nom et adresse, en citant
ce livre, aux Éditions de l'Archipel,
34, rue des Bourdonnais 75001 Paris.
Et, pour le Canada,
à Édipresse Inc., 945, avenue Beaumont,
Montréal, Québec H3N 1W3.

ISBN 978-2-8098-0617-5

*Je déambule dans les pièces et j'écris*
*à des ombres, sans jamais me départir de l'idée*
*que l'écriture seule peut apporter la paix,*
*réparer et guérir ce qu'une vie meurtrit.*

Bo Bergman, « Sömnlös »,
*in Äventyret,* 1969.

*À Anna-Lisa,*
*ma grand-mère,*
*mon amie.*

# Prologue

## Astrid

*Juillet 1942, Västra Sångeby, Dalécarlie, Suède.*
Quand le soleil disparut derrière le mur d'arbres, nous nous étendîmes. La nuit blanche nous engloutit. Il n'y eut alors plus que le silence.

## Veronika

*Novembre 2002, Karekare, Nouvelle-Zélande.*
Au-dessus de nous, le soleil impitoyable. Et le monde qui tourbillonnait, incompréhensible, autour de nos deux êtres d'immobilité. Puis le fracas violent de la mer victorieuse.

# 1

*… quand point le jour.*

Elle avait parcouru le chemin sous le vent et les rafales de neige mais, avec la tombée de l'obscurité, le vent s'essouffla et la neige se figea.

C'était le premier jour de mars. Partie de Stockholm, elle avait roulé dans un crépuscule grandissant qui s'était changé insensiblement en nuit. Le trajet lui avait pris du temps, mais il lui en avait aussi donné pour penser. Ou effacer ses pensées.

Elle bifurqua, laissant derrière elle la grand-route qui longeait l'église luthérienne pour suivre l'étroit raidillon grimpant la colline, puis amorça un dernier virage et s'engagea sur un chemin de terre. Aucune voiture n'était passée par là depuis la dernière chute de neige et un tapis d'une douce blancheur virginale se déroulait entre les reliefs arrondis des congères. Elle progressa lentement tandis que sa vue s'habituait aux ténèbres. On l'avait informée qu'il n'y avait là-haut que deux maisons, qui se détachèrent lentement sur le ciel devant elle. Toutes deux plongées dans le noir.

Elle dépassa la plus grande et, peu après, quitta le chemin pour traverser le jardin enneigé de la seconde et se garer devant les marches du perron. Après les nouvelles chutes de neige, il ne restait du passage dégagé en vue de son arrivée

13

qu'une légère dépression dans le manteau blanc. Descendant de voiture, elle vit des herbes mortes pointer à travers la neige, sous laquelle on entrevoyait aussi des plaques de verglas. Elle marcha à pas prudents, veillant à ne pas glisser tandis qu'elle allait et venait entre le véhicule et la maison pour décharger le coffre ainsi que la banquette arrière. Elle porta ses sacs et ses cartons à l'intérieur dans un silence seulement troublé par le crissement sec des cristaux blancs sous ses pieds. Ses phares allumés éclairaient d'un faisceau oblique ses empreintes sur le sol.

La maison voisine dressait son ombre muette dans les ténèbres qui enveloppaient la galerie de lumière où elle évoluait. Son souffle s'échappait de ses lèvres en bouffées de vapeur blanche qui se dissolvaient dans l'air sec et froid de la nuit. Le ciel se perdait dans un noir infini sans étoile ni lune. Elle avait l'impression d'avoir été propulsée par un tunnel au cœur d'un monde de silence absolu.

Ce soir-là, elle se coucha dans un lit qui ne reconnaissait pas son corps, dans cette maison qui ne la connaissait pas encore. Dans l'obscurité feutrée, elle aurait pu n'être nulle part. Elle se sentait la légèreté de l'air.

Le lendemain matin, le soleil perçait à peine dans un ciel incolore. Elle ouvrit la fenêtre à un vent léger et, dans l'air, la possibilité de nouvelles chutes de neige. Elle regarda dehors, blottie dans son peignoir rouge. Songeant à son voyage, elle se refusa toutefois à laisser son esprit remonter jusqu'au point de départ. Alors elle pensa à tous les autres qui l'avaient précédée : poser ses valises en des lieux inconnus, élire domicile là où se terminait le trajet, avec son père pour seule constante. Elle savait que ce voyage-ci était différent. Sa vie durant, elle avait cheminé en compagnie de son père. Main dans la main, ils s'envolaient pour ses nouvelles affectations à l'étranger. Après le départ de sa mère, ils ne s'étaient plus quittés et chacune de leurs destinations, si exotique fût-elle, n'était en quelque sorte devenue qu'une escale supplémentaire sur le chemin qu'ils parcouraient ensemble. Mais le père auquel elle avait rendu visite à Tokyo, en décembre, menait désormais sa propre vie, séparée de la sienne. Ils n'étaient plus compagnons de route. C'était là un périple solitaire. Une fuite, une évasion. Un voyage sans destination. Son existence lui semblait aussi incertaine que la lumière, suspendue dans un néant blanc.

Elle referma la fenêtre sans quitter son poste d'observation. Au-delà de la rivière et du village s'étendait le lointain bleuté des forêts et des montagnes. Un paysage ancestral de reliefs ronds, polis par les glaces et les vents, de rivières au lent cours, de lacs immobiles. Ici, la terre donnait avec parcimonie, et seulement après un dur labeur.

Elle se tourna pour regarder de l'autre côté du pré. Ce que l'ombre engloutissait la veille au soir se révélait avec netteté dans la lumière blafarde du matin. L'autre maison était plus grande qu'elle ne lui avait paru. C'était une généreuse bâtisse sur deux niveaux dont la peinture, sans doute jaune autrefois, se fanait en un gris pâle indistinct qui se fondait dans le ciel et la neige. Ses fenêtres se réduisaient à des carrés noirs et vides. Pas un signe de vie ne s'en échappait.

Du bois à brûler avait été disposé dans un panier près du poêle par une main prévenante, les fines brindilles sèches sur le dessus, les bûches plus grandes dessous. Elle décida de faire du feu et mit de l'eau à chauffer sur la cuisinière électrique pour préparer du café. Puis elle s'assit à table, une tasse entre les mains, dans le doux crépitement des premières flammes.

Elle était venue sans calendrier, avec seulement quelques sacs d'effets personnels, des livres et des CD. Sa décision, subite, avait laissé peu de temps pour les préparatifs. C'était d'ailleurs moins une décision qu'une succession d'actes prompts quasi inconscients. Elle avait l'impression de n'avoir ni plans ni pensées ; pourtant, à un certain point, son esprit et son corps s'étaient mis en branle pour la catapulter dans cet oasis de tranquillité.

Le lendemain, la maison gardait toujours ses distances. Certains indices témoignaient d'une rénovation récente : le papier peint neuf, les sanitaires et le carrelage de la salle de bains, neufs aussi, tout comme les placards de la cuisine, bien conçus et pratiques, quoiqu'un peu discordants. C'était une maison modeste et sans prétention dont se dégageait un air d'abandon. Le mobilier y était minimaliste : une table et six chaises dans la cuisine, deux petits canapés et une table basse dans le salon, deux lits dans la chambre, à l'étage. Le parquet disparaissait sous un entrelacs de tapis oblongs tissés à la main à partir de chutes de textile. À défaut de rideaux, les fenêtres étaient pourvues de stores unis de couleur blanche. Elle n'avait pas pris la peine de demander le raccordement téléphonique mais avait apporté son portable, qu'elle gardait éteint dans le tiroir de la table de nuit.

C'était une locataire orpheline dans une maison orpheline.

Lentement, sa vie trouva son rythme naturel. Au bout d'une semaine, elle avait assis sa routine matinale. Levée tôt, elle buvait son café à la table de la cuisine en regardant la pièce s'imprégner du jour croissant. Elle avait l'impression que la maison l'avait acceptée, qu'elles avaient entamé leur vie commune. La plante de ses pieds s'était familiarisée avec le bois des marches de l'escalier, son nez habitué aux odeurs des murs. Petit à petit, elle ajoutait son empreinte à cet intérieur en y laissant d'infimes traces. Elle déplaça les canapés dans le salon pour pouvoir regarder dehors lorsqu'elle y était assise, acheta un géranium en pot pour fleurir le rebord de la fenêtre de la cuisine. Sur un coin de la table, elle s'était aménagée un espace de travail : son ordinateur portable y demeurait ouvert, prêt à enregistrer les mots, à côté d'une pile bien nette de dictionnaires, carnet et stylos. Les doigts posés sur le clavier, elle fixait l'écran des heures durant, mais le peu qu'elle écrivait, elle l'effaçait invariablement.

Qu'il vente ou qu'il neige, elle commençait chaque journée par une promenade. À moins de descendre au village, elle croisait rarement d'autres personnes. Un matin, un cerf la regarda traverser le jardin devant la maison. Il demeura là, immobile, les yeux plantés dans les siens, avant de se retourner sans un bruit et de disparaître derrière la grange d'un bond preste. Des empreintes d'élan et de renard parsemaient la neige. Dans l'obscurité des nuits encore froides, l'hiver reprenait ses droits sur ce qu'il avait cédé à la lumière du jour. Chaque matin se levait dans la grisaille et la glace.

La maison de l'autre côté du pré demeurait sombre et silencieuse. Les premiers temps, elle la crut presque inhabitée, jusqu'au jour où elle échangea quelques mots avec la caissière du magasin du village.

— Je suis Veronika Bergman, se présenta-t-elle. Je loue la maison des Malm, sur la colline.

— Ah, alors vous êtes la nouvelle voisine d'Astrid! sourit son interlocutrice avec un roulement d'yeux. Astrid Mattson, la sorcière du village. Elle n'aime personne, celle-là. Elle reste dans son coin. Comme voisine, il y a mieux, ma pauvre! observa-t-elle en lui rendant sa monnaie. Mais vous vous en rendrez compte bien assez tôt, croyez-moi.

Il lui fallut toutefois attendre deux semaines avant de voir sa voisine pour la première fois, silhouette voûtée et solitaire dans un lourd manteau foncé et des bottes de pluie, qui négociait d'un pas hésitant le chemin verglacé en direction du village. Elle offrait un spectacle presque impudique hors de cette maison dont les murs s'étaient faits ses protecteurs, et les fenêtres obscures les loyales gardiennes des secrets de la vie à l'intérieur.

Après sa promenade quotidienne, Veronika s'asseyait devant son ordinateur, mais ses yeux déviaient de l'écran à la fenêtre et au paysage. À une époque, elle avait cru que son livre se présentait à son esprit avec une clarté parfaite et dans une forme achevée, si bien que sa saisie ne constituerait qu'un simple exercice technique, rapide et aisé. Elle avait cru qu'il lui suffirait de se retirer du monde pour voir. Qu'il lui suffirait de tranquillité. De paix.

Pourtant l'écran demeurait vide.

La grisaille prédominait, le temps semblait s'être arrêté. Du ciel ne filtrait ni neige ni soleil. Seuls les croassements de corbeaux invisibles perturbaient le silence du monde.

Un matin, en longeant la maison de sa voisine au cours de sa marche journalière, Veronika remarqua que la fenêtre de la cuisine était entrouverte. L'interstice était suffisamment large pour permettre d'observer l'extérieur, sans toutefois offrir un aperçu de l'intérieur. En passant, elle esquissa un geste de la main, s'imaginant la vieille femme postée dans la pénombre, derrière le carreau. Cependant, rien n'indiquait la moindre présence.

Elle réfléchissait à son œuvre, au processus perpétuel de refaçonnage et de réassemblage de toutes ses idées et de tous ses plans. C'était comme si le livre qu'elle avait entamé dans un autre monde, dans une autre vie, avait été écrit par une autre personne. Les mots étaient coupés de celle qu'elle était devenue. Dans cet endroit sans autres distractions que celles qu'elle portait en elle, tout se retrouvait mis à nu. Le temps était venu de chercher de nouveaux mots.

Enfin, la promesse du printemps. Debout sous le porche, Veronika leva les yeux sur la toile bleue infinie du ciel, où une volée d'oiseaux migrateurs traçait une calligraphie noire, délicate et flottante. À l'aube, rien n'annonçait le changement, si bien qu'elle avait abrégé sa promenade matinale. Mais maintenant que le soleil lui chauffait le visage, elle décida de suivre le cours de la rivière. Elle descendit la colline sans se presser, traversa la route et poursuivit à travers la bande forestière. Des tas de neige grenue subsistaient à l'ombre des sapins, mais, en contrebas, la rivière débâclait, libérant de larges morceaux de glace qui flottaient sur sa surface sombre. La crue du printemps n'était pas encore amorcée, la fonte des neiges n'avait pas commencé dans les montagnes. Tout au long de sa promenade, Veronika garda la tête renversée vers le ciel et, à son retour, elle s'assit sur les pierres chaudes du perron. Elle sortit alors son carnet de son petit sac à dos et se mit à écrire. Lorsqu'elle reposa son stylo, le jour se retirait doucement et le soleil jetait des traits obliques à travers la cime des arbres, de l'autre côté du chemin. Refermant son calepin, elle offrit son visage aux dernières lueurs. Alors, lentement, elle inspira.

Et prit conscience qu'elle n'avait plus rempli ses poumons depuis longtemps.

# 2

*Un infime tourbillon, un frisson…*

Astrid se tenait debout à la fenêtre, nue. Il était tard et, dehors, il faisait nuit noire. Sans la neige blanche, elle n'aurait pas discerné grand-chose. Rien que les yeux jaunes des fenêtres, de l'autre côté du pré, réveillés en sursaut après un si long sommeil.

Sa maison à elle était, comme toujours, plongée dans l'obscurité. Sombre. Chaude. Elle y maintenait une température agréable. La vieille bâtisse faisait partie intégrante de son être, ses formes étaient incrustées dans son corps, elle y évoluait donc sans mal en l'absence de lumière. Et puis il arrivait que ses ténèbres attirent les animaux : des élans, des hiboux, des lynx. Autant d'observateurs aussi circonspects qu'elle qui, maîtres de leur propre espace, s'en tenaient à une brève incursion dans le sien.

Elle regardait rarement dehors, la vue avait perdu toute signification.

Mais voilà qu'elle était postée là, à suivre attentivement les mouvements à l'autre bout du pré blanc, enveloppée dans la chaude obscurité de sa maison. Elle croisa ses bras sur sa poitrine, referma ses mains sur la masse chaude et lourde de ses seins. Elle se pencha, le front presque collé au vitrage. Dans la nuit calme, elle ne distinguait qu'une silhouette féminine sombre dans le puits lumineux des phares d'une voiture. La porte d'entrée, grande ouverte, découpait un carré jaune béant dans la nuit. Elle passa sa langue sur ses dents, la laissant glisser sur des arêtes tranchantes et des creux tendres de gencive, aspirant sa salive. Et, pendant ce temps, ses yeux restaient rivés sur l'autre maison.

Les feux de la voiture étaient éteints et la porte refermée depuis longtemps qu'elle se tenait encore à la fenêtre. Les bras serrés autour d'elle, elle promenait ses mains sur sa peau parcheminée, les pupilles fixées sur l'espace entre les deux maisons.

Elle s'attendait à cette arrivée, mais pas à la réaction qu'elle suscitait en elle. Pas à se trouver là, à la fenêtre, à observer.

Le lendemain matin, elle se réveilla tôt, comme toujours, dans la pièce derrière la cuisine qui lui tenait lieu de chambre. Elle s'était installée au rez-de-chaussée des années plus tôt, aménageant sa chambre dans ce qui était autrefois une salle à manger de taille réduite. S'épargnant un grand chambardement, elle s'était contentée de pousser la table contre la fenêtre de façon à coller les quatre chaises du fond contre le mur et ainsi à libérer de l'espace pour un lit étroit. Elle rangeait ses vêtements dans le couloir à l'extérieur de la cuisine.

À la fenêtre pendaient des bandes de chintz défraîchi tirées de chaque côté. Elle aimait se réveiller dans l'obscurité. Redoutait le retour du printemps et les implacables nuits blanches de l'été.

Immobile, elle regarda le plafond changer de teinte, tout ouïe aux chuchotements des ténèbres, aussi imperceptibles que familiers : la neige qui s'ajuste à la lente hausse de température, le vent qui se prépare à se lever, le bruissement de petites créatures qui se carapatent sur la croûte dure de la neige fondue et regelée. La nuit s'était repliée ; le jour s'était levé. Le croassement d'un corbeau perça le silence. La première note du matin. Alors, comme charrié par la lumière, le bruit envahit la pièce. Elle ne bougeait pas, mais ses yeux étaient ouverts, ses oreilles tendues. Le son et la lumière déployèrent leurs tentacules, palpèrent les murs, le plafond, le plancher. Glissèrent sur sa couverture puis s'arrêtèrent. Elle examina la clarté sur l'étendue grise du plafond, traversée par les premiers rayons de soleil blafards. Impossible d'y échapper; elle devait capituler. Il était déjà trop tard. Il lui fallait abdiquer et commencer un nouveau jour.

Mais alors qu'elle posait ses pieds sur le plancher de bois, elle perçut un nouveau son: une fenêtre qui s'ouvre; puis une porte, des pas sur la neige verglacée, une portière de voiture qui se déverrouille et claque. Des bruits de vie.

Elle n'appréciait pas les perturbations dans son train-train matinal bien établi. Sa routine quotidienne obéissait à une volonté moins de discipline que de commodité. Elle y puisait un sentiment de sécurité. Ses jours suivaient un rythme que n'affectait pas le changement de saison. Son existence tenait de la subsistance, de la survie; ses besoins étaient minimes. Elle ne construisait pas de projets d'avenir. Le jardin montait en graine; la maison tombait en ruines. La peinture s'écaillait, la cheminée se lézardait. C'était un édifice à l'agonie, logeant un corps à l'agonie.

Elle ne descendait au village qu'en cas de nécessité. Surtout maintenant, en hiver. Les routes étaient rarement dégagées dans ce coin boudé par les voitures, et la neige fondue se transformait en verglas traître. Si elle ne craignait pas la mort, elle souhaitait la trouver en ses termes. Une hanche cassée l'enverrait tout droit entre les mains de ceux qu'elle redoutait le plus. Ceux qui attendaient qu'elle eût besoin d'eux.

Le passé était tenu en respect; l'avenir, inexistant; le présent, un vide dormant dans lequel elle se réduisait à un être physique, sans présence émotionnelle. Elle attendait, gardant ses souvenirs bien enfouis. Constant, éreintant, l'effort absorbait toute son énergie, quand il n'échouait pas. Elle succombait alors à des sentiments aussi intenses que si elle les expérimentait pour la première fois. Les ressorts se révélaient imprévisibles, aussi redoublait-elle de prudence.

Longtemps, elle avait dérivé dans des eaux stagnantes, guettant patiemment l'ultime courant de retour. Et voilà qu'un imperceptible frisson ridait la surface.

Elle se leva et attaqua sa journée. Se lava, prépara du café. Dans sa cuisine inchangée, le vieux poêle à bois occupait une place centrale, flanqué d'une cuisinière électrique. Ses braises encore rouges ne réclamaient qu'un léger souffle d'air et de nouvelles bûches pour se ranimer.

Sa tasse de café nichée dans le creux de ses paumes, elle laissa fondre un morceau de sucre dans sa bouche. Quand elle s'assit à table, ses mains caressèrent distraitement la toile cirée craquelée, aussi familière que sa peau, époussetant des miettes invisibles. Elle but à petites gorgées son café qui refroidissait tandis qu'un soleil pâle émergeait à l'horizon. Et ses yeux s'égarèrent du côté de la fenêtre.

La vie s'invitait sans façon. Peu à peu, elle se réintroduisait dans sa maison. Des fenêtres qui s'ouvrent et se ferment, une musique basse qui s'échappe d'un entrebâillement, un ronronnement de moteur qui s'éloigne. Sans vraiment s'en rendre compte, elle incorpora ces bruits à son quotidien. Au fil des jours, l'observation de la maison de l'autre côté du pré devint sa principale occupation du début de matinée. Bien avant que la bâtisse s'éveille, elle était attablée, à attendre que s'enfuient les ombres de la nuit. Ses yeux se posaient invariablement sur l'ouverture à l'étage, où apparaissaient les premiers signes de vie.

Debout à la fenêtre de la cuisine, elle guettait ensuite la mince silhouette qui émergeait de l'autre maison et longeait la sienne. Elle veillait à rester parfaitement immobile, dans le recoin derrière le battant. Les bras croisés sur la poitrine, elle regardait la jeune femme passer et la saluer de la main. Et puis, un beau matin, elle leva le bras en réponse. D'un mouvement lent, hésitant. Quand sa main retomba, elle la scruta, comme surprise par son geste. Elle alla ensuite s'asseoir à la table et, y posant ses deux paumes, les serra et desserra plusieurs fois avant de les déployer bien à plat sur la toile cirée. Des mains de vieille, songea-t-elle : une peau parcheminée translucide tendue sur des veines gonflées, des marguerites de cimetière. La fêlure sur l'ongle de l'auriculaire que la fillette de cinq ans s'était coincé dans la porte de la grange demeurait intacte sur cette main de vieille. Tout comme le creux à la base de l'annulaire gauche, qui refusait de disparaître après toutes ces années. Une cicatrice visible et indélébile. Un rappel. L'empreinte de son alliance.

Sa paix était perturbée. Elle se retrouva à déambuler à travers les pièces de la maison, les mains sur les reins. Les jours étaient gris, les nuits froides. Le soir s'allongeait et, étendue dans son lit, les mains jointes sur la poitrine, les yeux fouillant le plafond, elle écoutait les nouveaux sons : de la musique en sourdine se coulant à travers un store fermé, des draps secoués par la fenêtre de l'étage, la porte d'entrée s'ouvrant et se fermant, des pas rapides dans le jardin de devant.

Elle écoutait et sentait le monde envahir sa maison. La vie. Alors elle se tournait vers le mur et pleurait.

Et puis, le matin du 1er mai, elle attendit, couchée dans son lit. Le chant des oiseaux et le vent reprirent sans qu'aucun bruit lui parvienne de l'autre maison. La pièce s'éclaircit, elle fut prête à se lever, pourtant elle attendait toujours, oreilles tendues. Lorsqu'elle s'assit à la table de la cuisine, ses yeux se posèrent sur la maison de l'autre côté du pré : les fenêtres étaient fermées, la cheminée ne crachait pas de fumée, la voiture demeurait muette. Alors elle attendit encore.

Elle ouvrit la fenêtre pour mieux observer. Les mains posées sur le comptoir, elle se pencha en avant, regarda dehors. Ce ne fut que lorsque l'air froid emplit la pièce qu'elle referma les battants.

Deux jours s'écoulèrent ainsi. La seconde nuit, elle se réveilla et se posta à la fenêtre. Un silence sépulcral planait sur l'autre maison. Elle s'assit à la table de la cuisine et reprit son observation. Au plus profond de la nuit noire, les silhouettes sombres de deux élans émergèrent gracieusement de la muraille dense formée par les arbres obscurs derrière les champs ouverts. Les deux animaux foulèrent sans bruit l'herbe sèche de l'an passé, uniques manifestations de vie dans un monde immobile.

Astrid ne trouvait plus le sommeil. Elle erra entre sa pièce et la cuisine, sa tasse de café à la main. La voiture n'avait pas bougé, elle ne pouvait être partie. De la maison n'émanait pourtant aucun signe de vie. Elle n'était rien pour elle, se rappela-t-elle. Elle ne la connaissait pas. Elle n'avait pas à se mêler de ses affaires.

De sa voisine elle ne savait que ce qu'elle avait observé : une jeune femme, de vingt-cinq, trente ans, peut-être – elle ne savait plus très bien déterminer les âges –, mince, des cheveux bruns bouclés, petite – pas haute, en tout cas. Un jour, elle avait surpris une conversation à son sujet à la boutique, mais, fidèle à elle-même, elle s'était éclipsée. Pas avant, toutefois, d'entendre son nom. Veronika.

Elle se surprit à reprendre conscience du temps. L'heure du jour, le jour de la semaine. Un temps de plus en plus lent. Chaque minute, elle peinait davantage à détacher son regard de l'autre maison. Celle-ci finit par occuper tout l'espace, toutes ses pensées. Alors elle alla chercher sa veste.

Lorsqu'elle émergea sous le porche et s'aventura à pas hésitants sur l'allée de gravier, elle ne savait pas encore tout à fait où la menaient ses pieds. Comme sa main lorsqu'elle avait rendu le salut, ses jambes agissaient indépendamment de sa conscience. Elle emprunta le chemin et traversa le jardin de l'autre maison, toujours inanimée. Elle frappa à la porte, puis recula, comme pour prendre la fuite. Mais, la réponse se faisant attendre, elle avança et tapa de nouveau, plus fort cette fois. Elle crut entendre des bruits feutrés, des pieds nus sur des marches de bois.

Lorsque la porte s'ouvrit et qu'elle se retrouva face à la jeune femme, elle sut que la vie était irrévocablement revenue. La glace se fissurait en elle.

# 3

*… dis-moi, qui te sauvera alors?*

La veille débordait pourtant de promesses, avec son soleil éclatant sur la neige. Et puis un ciel maussade et le froid. Encore. Attablée dans la cuisine, Veronika sirotait du thé en regardant le vent se lever sur un décor sans couleur, tout en nuances de gris et de blanc. Les arbres dépouillés s'agitaient nerveusement, la neige volait et tourbillonnait en gerbes irrégulières. Le temps semblait figé, en suspens dans une zone d'incertitude entre hiver et été.

Deux mois qu'elle était au village. Elle avait fini par se mettre à écrire. C'était un dur labeur, bien éloigné de la simple formalité qu'elle imaginait. Son récit lui paraissait aussi fragile qu'une toile d'araignée, dont le fil se briserait si elle n'y prenait garde. Le contrat et les discussions autour du livre appartenaient à une autre ère, presque préhistorique, et elle peinait à se rappeler l'enthousiasme et la joie qu'elle avait éprouvés pour le projet. Malgré tout, les mots affleuraient. Douloureusement, lentement. Des mots inattendus.

C'était le dernier jour d'avril : *Valborgsmässoafton*, fête de la fin de l'hiver et du début du printemps. Comme toujours, pourtant, un jour d'un froid mordant balayé par un vent glacial. Elle avait songé à retarder sa promenade quotidienne pour descendre assister au feu de joie au village, mais elle accusait la fatigue. Une fatigue de printemps. Elle était assise devant son ordinateur à la table de la cuisine. Malgré la chaleur de la pièce, où du bois brûlait dans le poêle, elle avait encore froid. Les mots sur l'écran devant elle semblaient peindre un paysage presque oublié. Elle avait l'impression de lentement vider ses valises, en retirant une scène après l'autre pour l'exposer à la lumière blafarde. Cela lui réclamait un effort colossal. Ici et maintenant, toutes semblaient jurer, comme des vêtements achetés en vacances. Toutes lointaines, sans lien avec elle ni avec le lieu. Elle leva le regard sur la fenêtre, mais le décor inerte paraissait inaccessible. Elle avait l'impression d'être suspendue entre deux mondes sans appartenir à aucun.

La maison de la voisine était fermée et muette. La veille, quand elle avait agité la main en passant, elle avait noté que la fenêtre de la cuisine était de nouveau entrebâillée malgré le temps. Peut-être s'était-elle trompée, mais elle avait cru percevoir un mouvement dans l'obscurité derrière le carreau. Elle avait cru voir la vieille femme lui retourner son salut. Aujourd'hui, cependant, la bâtisse était inerte.

Frissonnante, elle monta chercher sa veste en polaire à l'étage. La rouge. Celle de James. Après l'avoir enfilée, elle se rassit à la table. Inconsciemment, sa paume caressa la fibre moelleuse de la manche. Elle porta les mains à sa bouche, souffla dessus pour réchauffer ses doigts engourdis.

Tandis que le jour s'acheminait vers l'après-midi, elle demeura devant son écran, à lire plus qu'à écrire. Au fil des heures, les mots semblaient se dérober, se brouiller et se réorganiser en séquences de plus en plus difficiles à déchiffrer. Elle finit par éteindre son ordinateur et en rabattre l'écran. La cuisine était plongée dans le noir ; le jour gris s'était épaissi en tombée de la nuit. Lorsqu'elle se leva, elle dut se tenir un moment à la table avant de traverser la pièce. Dans la chambre, à l'étage, elle se coucha et, se recroquevillant, tira le couvre-lit pour s'en envelopper.

Elle était étendue sur le dos, nue sur une plage. L'univers était noir. Noir de noir. Là où elle se trouvait, la lumière n'avait jamais pénétré. Le sable rêche lui brûlait le dos, lui calcinait et lui griffait la peau, malgré l'eau froide qui léchait son corps. Plus loin, une mer déchaînée rugissait dans un bruit assourdissant. Écarquillés et douloureux, ses yeux fixaient l'espace vide de lumière, cherchant à distinguer des formes dans cette masse de ténèbres. Tout autour, le fracas de la mer. L'air, épais et salé, collait sur sa langue et dans ses narines. Elle aurait voulu se lever, courir, mais le poids de la nuit l'enfonçait dans le sable chaud et la paralysait. Dans la fraction de seconde entre sommeil et veille jaillit soudain un éclair aveuglant, dans lequel elle réussit à discerner une vague gigantesque. Envahissant l'univers, elle fondit sur elle, toujours plus haute et plus rapide, pour se dresser au-dessus de sa tête dans son énormité miroitante et mortelle, menaçant de se briser. Ses mains essayèrent d'agripper le sable, ses ongles se cassèrent. Des hurlements silencieux lui emplirent la gorge, l'étranglèrent. Lorsque les ténèbres l'engloutirent à nouveau, elle sut que la vague s'écrasait sur elle.

Elle réussit à atteindre la salle de bains au rez-de-chaussée juste avant de vomir. Elle frissonnait et claquait des dents, mais sa peau était en feu. Elle ouvrit le robinet et laissa l'eau froide couler sur ses paumes avant de les appliquer sur ses joues. Puis elle rassembla ses mains en coupe pour boire. Dans la maison, tout était sombre.

Ce ne fut ensuite ni la nuit ni le jour. Elle était au lit, la gorge parcourue d'élancements, au milieu de draps entortillés et froissés. Une lumière incolore filtrait à travers le store à moitié tiré. Elle mourait de soif, mais la porte et l'escalier étaient loin, si loin. Une odeur de vomi flottait dans la pièce. Et une lumière si triste. Elle ferma les yeux.

Elle était sur une plage de la côte ouest de la Nouvelle-Zélande, pieds nus sur le sable noir. Derrière, se dressaient de hautes collines ; devant, la mer s'étirait jusqu'à l'horizon. Des vagues rugissantes déferlaient sur la plage vide. Elle courait, haletante, ses pieds creusant le sable chaud. Il était devant. Elle ne voyait que son dos nu, et ses jambes, qui remuaient à toute vitesse, leur foulée légère sur le sable.

Elle s'efforçait de réduire la distance, s'escrimant à marcher dans ses empreintes, mais il avançait à si longues enjambées qu'il lui fallait sauter pour atteindre les marques sur le sol. Elle devait se dépêcher, elle le savait. Les traces s'estompaient, de plus en plus difficiles à distinguer, et la marée montante s'en approchait dangereusement. Elle trébucha, perdit son élan, rata des foulées. Lorsqu'elle releva la tête, il avait disparu; elle était seule sur la plage déserte. Elle se figea et laissa la mer lui cerner les pieds et clapoter contre ses chevilles. D'un œil impuissant, elle regarda l'eau recouvrir le sable et brouiller les empreintes d'une brève caresse avant de se retirer, laissant dans son sillage un miroir plat. Alors elle s'effondra à genoux, accablée d'une telle douleur que son cœur cessa de battre et que sa respiration se coupa. Elle plaqua ses mains sur ses yeux pour recueillir les larmes qui ruisselaient sur son visage, mais elles ne pouvaient contenir les gouttes salées, qui glissaient entre ses doigts et tombaient sur ses cuisses, formant une flaque tiède de plus en plus profonde. Lorsqu'elle baissa les mains, elle découvrit autour d'elle l'immobilité brun cuivré d'un lac suédois. Elle se coucha et se laissa porter par l'eau douce, qui la submergea lentement, se refermant sur son visage. Des flèches de lumière filtraient à travers le liquide ambré, formant une multitude de flocons dorés à la dérive. Les flots berçaient gentiment son corps en apesanteur.

La lumière blanche du matin derrière la fenêtre la ramena dans sa chambre. Dehors, un merle chantait. Se traînant hors du lit, elle réussit à rallier la salle de bains. Elle retira sa chemise de nuit et entra dans la douche, laissant simplement l'eau couler sur elle. Au bout d'un moment, elle s'assit sous le jet, adossée au mur carrelé, le front sur les genoux. Elle demeura ainsi immobile jusqu'à l'épuisement de l'eau chaude, endurant la baisse progressive de température au point de ne plus sentir la peau de ses épaules. Alors, elle se hissa lentement sur ses pieds, s'essuya et regagna l'étage, où elle remplaça ses draps chiffonnés par des propres. L'effort l'essouffla et, lorsqu'elle s'étendit, la pièce semblait pulser en rythme avec son cœur. Elle ferma de nouveau les paupières.

Son père se tenait devant une maison qu'elle ne reconnaissait pas, malgré une impression de déjà-vu. Il lui fit un signe de la main en souriant, mais, lorsqu'elle voulut lui répondre, des voitures et des bus s'immiscèrent entre eux et lui obstruèrent la vue. Elle se hissa sur la pointe des pieds. Se pencha d'un côté, puis de l'autre, cou tendu, pour essayer de voir par-dessus le défilé de véhicules. Mais chaque fois que son père réapparaissait, il semblait plus distant. Elle lui cria de ne pas bouger, de l'attendre, mais ses paroles se perdirent dans le bruit de la circulation. Alors elle se jeta dans le flux des véhicules. Partout autour d'elle, ce ne furent plus que bus, voitures, tramways et motos. Prisonnière d'une tourmente de moteurs, elle comprit qu'elle n'arriverait jamais à atteindre l'autre côté, saisie d'un sentiment de vide qui assourdissait tous les sons. Elle demeura comme une île au milieu de ce tourbillon d'effervescence silencieuse, indemne et insouciante.

Un bruit lui parvint. Ou peut-être n'était-ce que dans son rêve. À quatre pattes, elle martelait de la main le sable noir compact de la plage. Elle n'arrivait pas à parler, étranglée par des sanglots, et, plus son trouble grandissait, plus elle frappait fort, la paume brûlante. L'instant d'après, elle se retrouva dans son lit, la main coincée entre le matelas et le bord du cadre. Un coup retentit à la porte d'entrée.

Sans les crêpes rassies, le petit pot de verre et la thermos bleue qu'elle trouva sur la table le lendemain matin, elle aurait pu prendre cet épisode pour le fruit de l'imagination d'un cerveau fébrile. Elle avait ouvert la porte, découvrant sa voisine debout sur le seuil, le regard incertain et semblant particulièrement mal à l'aise. La vieille femme l'avait considérée brièvement, avec un hochement de tête, puis ses yeux s'étaient égarés pour se fixer sur un point juste derrière son épaule. Quand elle avait enfin parlé, c'était avec une difficulté manifeste, d'une voix lente et timide, comme si le son de ses cordes vocales l'embarrassait et qu'il lui fallait écouter chaque mot qu'elle prononçait avant de délivrer le suivant. Elle lui avait dit qu'elle revenait tout de suite, puis elle avait tourné les talons et s'était éloignée à pas pressés.

Veronika était allée dans la salle de bains, où elle s'était étudiée dans le miroir au-dessus du lavabo. Son visage paraissait diminué, comme si elle s'observait de loin. Elle peigna grossièrement ses cheveux emmêlés et se brossa les dents au ralenti. Puis elle s'assit sur le couvercle rabattu des toilettes, la tête entre les genoux, les bras autour des cuisses. En entendant la porte d'entrée s'ouvrir, elle s'enveloppa dans son peignoir, le serrant bien autour d'elle. Puis elle porta la manche à sa figure, enfouissant son nez dans le tissu-éponge rouge foncé.

Sa voisine était occupée à allumer la cuisinière. Le dos tourné, elle ne sembla pas remarquer l'arrivée de Veronika. Cette dernière s'assit à table, d'où elle observa la vieille femme. Elle était vêtue d'un large pull-over en laine vert et d'un pantalon gris trop long qui, retroussé d'une main malhabile, révélait une peau pâle veinée de bleu au-dessus des chaussettes. Elle avait déniché la poêle à frire et une odeur de beurre fondu envahissait la pièce. Un petit pot de confiture et une vieille thermos bleue bosselée reposaient sur la table. Veronika s'aperçut qu'elle faisait des crêpes. La première terminée, elle la porta à table dans une assiette et, ouvrant la conserve, y étala une généreuse dose de confiture avant de la rouler à l'aide d'une fourchette. Puis, les yeux sur Veronika, elle poussa le plat sans un mot. Veronika prit la galette du bout des doigts et croqua dedans. C'était un régal : dans la crêpe, à la fois légère et beurrée à souhait, la confiture, sucrée, avait une généreuse saveur de fraises des bois.

La vieille femme retourna aux fourneaux sans un mot, mais elle pivotait de temps à autre et, d'un hochement de tête accompagné d'un geste de spatule, encourageait Veronika à avaler une autre bouchée. Toujours concentrée sur sa tâche, elle versait de la pâte dans la poêle, la regardait prendre, puis retournait la crêpe d'un adroit mouvement et la glissait sur l'assiette. Tout cela sans qu'une parole franchisse ses lèvres.

Elle sortit ensuite deux tasses, qu'elle remplit de la boisson contenue dans la thermos : un thé fort, presque noir, et très sucré. Après quoi, elle éteignit la cuisinière, rinça la poêle et s'attabla avec Veronika. Elle ne mangea pas. Tandis que sa main droite effleurait le plateau de la table en cercles nerveux, son regard s'évadait encore et toujours par la fenêtre. Au bout d'un moment, elle se leva, s'empara de sa veste posée sur une chaise et l'enfila. À mi-geste, elle s'interrompit pour faire face à Veronika.

— Si vous avez besoin de quoi que ce soit, dit-elle, ouvrez la fenêtre de votre chambre et criez.

Après avoir passé l'autre manche, elle se dirigea vers le vestibule. La main sur la poignée de la porte, elle ajouta, sans se retourner :

— Je m'occuperai de vous.

Puis elle sortit en refermant doucement derrière elle.

# 4

*Donne-moi la main si tu le veux!*

Trois jours de perdus. Trois jours dont il ne restait rien qu'un chapelet d'images fantômes fiévreuses. Après le départ de la vieille femme, Veronika était retournée directement se coucher et avait dormi jusqu'au lendemain matin. À son réveil, les crêpes rassies et la thermos bleue sur la table de la cuisine constituaient les uniques preuves tangibles de la visite de sa voisine, apparition énigmatique qui se mêlait à ses rêves. De la femme qui s'était présentée sur le pas de sa porte elle ne savait rien, mais, quand elle regarda par la fenêtre, la maison à l'autre bout du pré ne semblait plus inhabitée.

Elle passa le restant de la semaine à récupérer. À tenter d'écrire un peu. À regarder par la fenêtre, surtout, assise à la table de la cuisine, l'esprit à la dérive. Et puis, le samedi, elle s'habilla pour sortir. Le moindre effort, la moindre ascension de l'escalier jusqu'à la chambre lui donnait une suée, mais la journée douce et ensoleillée lui imposait de prendre l'air, ne serait-ce que pour une courte marche. En outre, elle tenait à restituer la thermos à sa voisine et à la remercier.

Lorsqu'elle mit les pieds dehors, il lui sembla qu'une saison entière s'était écoulée en son absence. Alors qu'elle traversait le pré en direction de l'autre maison, le soleil aveuglant l'obligea à plisser les yeux. La fenêtre de la cuisine était ouverte, si bien que, au moment de frapper, elle savait qu'elle était sans doute attendue. La porte mit néanmoins un bon moment à s'ouvrir. Heureuse de pouvoir justifier sa visite, elle présenta la thermos pour preuve. À l'abri derrière le battant, à moitié cachée, la vieille femme la scruta, les sourcils froncés. Veronika la remercia, émit un commentaire sur la confiture… Une remarque sur la météo… La vieille femme demeura muette, se bornant à hocher la tête et à prendre la bouteille bleue qu'on lui tendait. Veronika entretint alors une conversation unilatérale contrainte, dont les mots tombaient à ses pieds comme des feuilles mortes. Pour finir, elle expliqua qu'elle partait pour sa première promenade depuis son rétablissement. N'ayant nullement l'intention de proposer à sa voisine de l'accompagner, elle se trouva prise au dépourvu par ses propres paroles.

— Voulez-vous venir avec moi?

La question resta un moment en suspens. Puis la vieille femme secoua la tête, sans toutefois bouger de derrière la porte à demi ouverte. Veronika se tut et laissa son regard courir sur les champs, submergée par un sentiment de solitude et une étrange déception. Le silence entre les deux femmes s'étira, incertain. Lorsque Veronika reposa ses yeux sur sa voisine, celle-ci lui rendit son regard. Elle parut alors se redresser, dans une manifestation physique de la résolution de son esprit.

— Attendez, dit-elle.

D'un mouvement de la tête, elle indiqua le banc de bois brut fixé contre le mur de la maison, sous le porche. Puis elle disparut, refermant la porte derrière elle. Veronika s'assit à l'ombre. Elle entendit les pas de la vieille femme à l'intérieur de la maison, puis le claquement de la fenêtre de la cuisine. Lorsque sa voisine franchit le seuil, elle portait un cardigan élimé par-dessus une chemise d'homme à carreaux, un pantalon de velours côtelé et des bottes de pluie noires coupées au mollet.

Elles se mirent à descendre la colline. Astrid marchait légèrement voûtée, les mains jointes derrière le dos. Ses bottes produisaient un sifflement à chacun de ses pas. Veronika se prit à penser aux printemps de son enfance, à ce moment particulier où, s'aventurant dehors en chaussures d'été pour la première fois depuis l'hiver, elle se sentait assez légère pour s'envoler. La vieille femme, elle, avançait d'un pas pesant et pataud dans ses lourdes bottes trop grandes, soulevant de petits nuages de poussière à chacune de ses foulées sur le chemin sec. Le talus au sud était parsemé d'anémones des bois, dont les pétales bleu roi étaient autant de témoignages surprenants d'une vie nouvelle parmi les feuilles noircies et l'herbe de la couleur du lin.

Après avoir tourné sur la grand-route, au pied de la colline, elles cheminèrent du côté gauche, l'une derrière l'autre, la vieille femme menant la marche. Elles traversèrent ensuite la chaussée pour emprunter le sentier qui s'enfonçait dans la bande forestière. Là, elles purent de nouveau avancer côte à côte, et Veronika se surprit à adopter le rythme de sa voisine.

— Vous allez bien? s'enquit celle-ci en tournant légèrement la tête, sans toutefois s'arrêter.

— Oui, merci, ça va.

Elles continuèrent leur promenade à pas lents dans une forêt encore exempte de moustiques. Veronika se demandait si la vieille femme n'avait pas réduit son allure par égard pour elle. Sous le couvert frais des sapins sombres, quelques flèches de lumière perçaient le sentier là où le soleil trouvait une brèche dans le mur végétal. Elles débouchèrent bientôt de l'autre côté du bois et longèrent l'étroit chemin à travers les champs ouverts. Tout à coup, la vieille femme pila, les yeux rivés sur un groupe de constructions neuves entourées de jeunes arbres rabougris. Suivant son regard, Veronika s'étonna du choix de terrain pour ce lotissement, qui s'érigeait au milieu d'une plaine boueuse, exposée aux intempéries et sans vue.

— Mon père cultivait du lin ici, déclara Astrid sans quitter des yeux les bâtiments de brique qui se blottissaient les uns contre les autres, rassemblant leurs forces contre une menace non identifiée. Mais il a vendu les terres. Mon mari, c'est lui qui a vendu à la municipalité.

Elle demeura silencieuse un moment, puis se retourna brusquement pour poursuivre d'un pas plus vif en direction de la rivière. Veronika la suivit, un peu essoufflée. Elles marchèrent au bord de l'eau à la recherche d'un endroit où se reposer. Le cours décrivait un coude étroit où la rive se creusait en douceur, ménageant un abri orienté vers le sud et protégé du vent. Astrid retira son gilet pour l'étaler sur l'herbe, imitée par Veronika, qui se défit de sa veste en polaire. Lorsqu'elles furent assises, la vieille femme se déchaussa, révélant des pieds pâles aux ongles jaunissants. Alors, sans un mot, elles s'étendirent dans la chaleur du soleil.

Veronika scruta le ciel, où cinq mouettes planaient en silence. L'esprit vide, elle céda à une douce somnolence, dont elle sortit en sursaut quand Astrid lui tapota le bras pour lui tendre une tablette de chocolat. Comme ceux de la jeune femme, ses yeux ne quittaient pas le ciel. Après avoir pris un carré, Veronika referma les paupières. Le visage chauffé par le soleil, elle laissa ses pensées vagabonder.

— Je m'appelle Astrid, dit la vieille femme. Astrid Mattson.

Ramenée à la réalité, Veronika rouvrit les yeux et tourna la tête. Sa voisine était toujours allongée sur le dos, mais elle avait fermé les paupières. Ses mains étaient jointes sur son ventre, comme dans une prière. Ou comme dans la mort.

— Et vous êtes Veronika.

Elle marqua une pause, avant de reprendre :

— Il n'y a pas de secrets, ici. Tout le monde sait tout sur tout le monde. Du moins se plaît-on à le croire au village. Les secrets doivent être bien gardés. Or, pour ça, il faut payer le prix fort.

Elle ouvrit les yeux, les plissant dans le soleil.

— La solitude. C'est le prix à payer, la solitude.

Les mouettes voltigeaient au-dessus de l'eau, piquant et fusant comme des marionnettes au bout de leurs fils.

Astrid tourna la tête et, pour la première fois, Veronika remarqua la couleur de ses iris, semblables à des bleuets des moissons. Le bleu vif produisait un effet saisissant, ainsi serti dans sa peau pâle parcheminée, au milieu de fines mèches de cheveux gris.

Veronika se redressa et, glissant ses bras autour de ses tibias, posa le menton sur ses genoux. Au-dessus de la rivière, les oiseaux poursuivaient leur jeu complexe.

— Comprenons-nous bien, reprit Astrid, je ne suis pas après vos secrets. La vie des autres ne m'intéresse pas.

Elle détourna la tête et referma les paupières.

Veronika laissa sa main courir sur l'herbe sèche à côté d'elle, repliant ses doigts sur une petite pierre plate avant de lever le bras pour la jeter dans l'eau. Le caillou décrivit un arc, troublant les mouettes qui s'élevèrent dans le ciel avec des cris agacés, puis fendit la surface avec un petit « floc ».

— J'ai vécu toute ma vie dans ce village, dit la vieille femme. Et en grande partie seule.

Veronika examina son visage, mais ce dernier ne révélait rien de ses sentiments. Ses yeux restaient fermés.

— Je suis vieille maintenant, j'approche des quatre-vingts ans. Et, chaque jour qui passe, le temps semble un peu plus lent. Une journée me paraît maintenant plus longue que toute la vie qui l'a précédée. Une saison est une éternité.

Veronika lança une autre pierre, qui rata l'eau et atterrit dans un petit buisson sur la berge. Ses yeux ne quittaient pas le lent ondoiement de la rivière.

— Et tout ce temps qui n'en finit pas, je l'ai passé seule chez moi. À attendre. À protéger mes secrets.

Astrid se redressa avec difficulté, roulant sur le flanc pour se pousser des deux mains en position assise.

— J'ai appris l'art de garder les secrets, je suis devenue experte en solitude. Mais à présent…

Sa phrase demeura inachevée dans le silence.

— Je venais souvent ici avec ma mère, reprit-elle soudain. Nous nous arrêtions pour nous reposer en rentrant du lac. C'est étrange, il y a plus de soixante-dix ans de cela, pourtant je la vois aussi nettement que je vous vois. C'est comme si le temps n'avait pas la moindre importance. La mémoire ne tient compte ni du moment où se sont produits les événements ni de leur durée propre. Les souvenirs d'incidents très courts prennent presque toute la place alors que des années entières de mon existence n'ont laissé aucune trace.

Elle considéra Veronika avec un léger haussement d'épaules et l'ombre d'un sourire gêné, les lèvres serrées et les joues rosies.

— Je ne sais pas pourquoi je vous raconte ça.

— J'ai peur d'oublier la plus belle période de ma vie, remarqua Veronika, le regard sur la surface de l'eau. Ça m'est déjà arrivé. Je ne garde aucun souvenir de ma mère. Avec le recul, je me dis que j'ai peut-être dû tirer un trait dessus pour continuer. Me souvenir d'elle aurait été admettre qu'elle m'avait abandonnée. Je ne crois pas que j'aurais pu vivre avec ça.

— Je ne crois pas que j'aurais pu vivre sans ces souvenirs, observa Astrid.

Veronika scruta la vieille femme, les sourcils noués.

— Oui, convint-elle après une pause. Je commence à comprendre qu'il va falloir que je me souvienne. Que je m'accroche à chaque jour et que je les exhume, les un après les autres, pour m'assurer que rien n'est perdu. Mais c'est tellement dur.

— Laissez-moi vous parler de ma mère, dit la vieille femme. D'un jour qui m'est resté pendant toutes ces années. Plus net qu'hier dans ma mémoire.

# 5

*Je le doterai de la haute tour*
*qui s'appelle solitude.*

## Astrid

C'était un jour de juin, un jour de début d'été qui ressemblait beaucoup à celui-ci. Nous étions descendues au lac, rien que toutes les deux. Nous avions marché sur la rive, pataugé dans l'eau encore glaciale, jeté des éclaboussures, sauté. Ri, aussi. Quand ma mère riait, des larmes ruisselaient sur ses joues. Cela me perturbait toujours, même si, remarquant mon trouble, elle ne manquait jamais de me tranquilliser :

— Oh, ma petite Astrid, je ne fais que rire, disait-elle.

Et elle essuyait ses larmes comme un enfant, en se frottant les yeux de ses deux poings fermés. Jamais je n'entendais son rire dans la maison, elle le réservait aux moments où nous en étions loin, rien que toutes les deux.

Nous nous pourchassâmes au bord de l'eau en riant pendant qu'une cane nous observait à distance respectueuse avec sa troupe de canetons. Nous nous assîmes ensuite sur le sable, pantelantes. L'ourlet de sa jupe verte était trempé. Elle fronça le tissu entre ses mains pour l'essorer, révélant ses jambes blanches et ses pieds nus. Ses cheveux s'étaient détachés et tombaient sur ses épaules et sa poitrine. Quand

41

elle relâcha sa jupe, elle leva les bras pour les chasser de son visage et les rassembler sur sa tête. Immobile, elle regarda le lac. Puis elle laissa retomber ses mains et m'attira contre elle, me caressant les cheveux. Je levai le visage vers le sien et ses yeux verts s'ancrèrent un instant dans les miens. Elle me serra alors contre son cœur.

— Souviens-toi de cela, ma petite Astrid, me dit-elle. Souviens-toi toujours de l'eau qui miroite sous le soleil. De la cane qui prend soin de ses petits. Du bleu du ciel. Et de mon amour pour toi.

Et je sus avec une certitude absolue qu'il n'y aurait plus de jours comme celui-ci.

Sur le chemin du retour, nous passâmes par ici. Assise sur le porte-bagage de sa bicyclette, je serrais mes bras autour de sa taille, collée contre son corps chaud. Ses longs cheveux cuivrés flottaient autour de mon visage et je sentais les muscles de son dos bouger à chaque coup de pédale. Nos chaussures reposaient dans le panier accroché au guidon et elle me répétait sans cesse de garder mes pieds bien écartés, loin de la roue.

— Astrid, fais attention à tes pieds! criait-elle avec un regard rapide par-dessus son épaule.

Le ciel était totalement dégagé et, de chaque côté de la route, les champs de pommes de terre exhalaient une odeur de glaise. C'était un jour de joie. Pourtant, alors que je nichais mon nez dans le dos de ma mère, je réprimais des larmes.

Cet après-midi-là, elle descendit de sa chambre en habits de ville, ses cheveux coincés sous son chapeau. Dans la cuisine, elle me prit dans ses bras et enfouit son visage dans mon cou. Ses lèvres remuèrent contre ma peau, mais aucun son ne s'en échappa. Par-dessus son épaule, je vis l'hoya qui décorait l'appui de la fenêtre paré de grappes de fleurs roses velouteuses. Depuis, j'en ai toujours gardé un à cet endroit. Chaque été, quand ses fleurs s'ouvrent, leur parfum ressuscite ce moment. Je m'assis ensuite près de la fenêtre, le nez collé au carreau, et regardai ma mère monter dans la carriole de M. Larsson. Je n'avais pas bougé de mon poste d'observation lorsqu'il fouetta ses chevaux et que le chariot s'ébranla sur le chemin. Ma mère ne se retourna pas pour m'adresser un dernier signe. Ses mains gantées semblaient plaquées sur son visage.

On la retrouva dans un petit hôtel de Stockholm. Elle s'était entaillé les poignets avant de se coucher à même le sol, près de la fenêtre, où il n'y avait pas de tapis. Elle gisait là depuis trois jours. Avec la chaleur, le sang avait coagulé autour d'elle et il fallut imbiber sa jupe d'eau pour la décoller du plancher. Elle avait vingt-sept ans. J'en avais six.

Ce soir-là, après son départ, je restai éveillée dans mon lit. Les alentours baignaient dans la clarté d'une pâle nuit d'été. Une brise se faufilait par la fenêtre ouverte, balançant le cordon du store contre le chambranle dans un bruit d'une infinie tristesse. Un clac, clac, clac irrégulier et solitaire. Je m'étendis sur le ventre, le visage enfoui dans mon oreiller, et, alors que je glissais mes mains dessous, mes doigts trouvèrent quelque chose. Le petit pendentif ovale en or que ma mère portait à une courte chaîne autour de son cou. À l'intérieur était lovée une mèche de cheveux. Je me redressai dans mon lit et enroulai les doux fils cuivrés autour de mes doigts, puis effleurai ma joue avec. Le store remuait toujours dans la brise. Clac, clac, clac. Je ne découvris ce qui lui était arrivé que des années plus tard, mais, cette nuit-là, je sus d'instinct que je l'avais perdue à tout jamais. Je le savais au moment où elle m'avait regardée au lac. Je le savais quand je l'avais vue descendre l'escalier. Et je le savais quand elle s'était couvert le visage de ses mains. J'acceptai la solitude comme nouveau statut. Inévitable. Inaltérable.

C'est peut-être à ce moment que je commençai à faire corps avec cette maison. Elle devint ma peau, ma protection. Elle a entendu tous mes secrets ; elle a tout vu.

J'étais enfant unique, comme mes deux parents. Après la mort de ma mère, je restai seule avec mon père. Fut un temps où je rêvais d'une famille, de frères et de sœurs, d'oncles et de tantes, de cousins. Mais maintenant je suis heureuse qu'il n'y ait personne d'autre. Rien que la maison et moi.

Je ne sais pas si mon grand-père bâtit cette maison avec amour, mais je me plais à le croire. Je me plais à croire qu'il éleva la demeure la plus majestueuse du village par amour pour son fils unique, pour lui offrir la vue la plus belle, les prairies fleuries les plus tendres, les champs de lin et de pommes de terre les plus fertiles, les forêts les plus vastes, avec des arbres innombrables à abattre en hiver. Je me plais à croire qu'il y eut de l'amour. J'ignore quel homme était mon grand-père, il est mort avant ma naissance. J'ignore s'il aurait souffert d'apprendre ce qu'il advint de son legs. D'apprendre que son fils n'était pas fermier pour un sou et ne cultivait pas l'amour de la terre, que l'argent filait comme de l'eau entre ses doigts doux et fins, au point qu'il ne laissa à sa descendance qu'une maison à l'agonie. Pour moi, ce n'est que justice. L'histoire touche à sa fin.

Quand et où en situer le début ? Pendant toutes ces années où j'ai nourri le souvenir de ma mère, je crois que j'ai fait de cet instant où je la vis monter en voiture, dos tourné, le début et la fin. La fin du beau, de la vie. Et le début d'une solitude éternelle. Avec le recul, je m'interroge, cependant. Je me dis que peut-être de tels tournants n'existent pas. Débuts et fins forment une longue chaîne fluide d'événements dont certains maillons semblent des plus insignifiants, et d'autres des plus importants, alors que tous pèsent en réalité autant. Ce qui passe parfois pour un moment déterminant n'est qu'un chaînon entre ce qui était et ce qui sera.

# 6

*La souffrance cherche compagnie*
*La douleur ne goûte pas la solitude*

La vieille femme cessa de parler aussi abruptement qu'elle avait commencé. Elles ne bougèrent pas : Astrid étendue sur le dos, les paupières closes ; Veronika assise, les genoux pressés contre son torse, les yeux sur la rivière. Celle-ci se demandait si sa voisine ne s'était pas endormie à voir ses mains jointes sur sa poitrine se soulever au rythme de sa respiration. Elle finit par s'allonger aussi et, fermant les yeux aux chauds rayons du soleil, s'assoupit. Réveillée en sursaut, elle trouva Astrid debout près de la rivière, les mains nouées derrière le dos et le regard sur l'eau mouvante. Le soleil avait tourné et l'ombre avait gagné leur petit carré d'herbe. Veronika se leva, secoua sa veste en polaire et l'enfila. Elles rebroussèrent ensuite chemin, marchant dans un silence complice, chacune à ses pensées. Quand, empruntant la grand-route, elles passèrent devant le magasin, Veronika demanda à Astrid si elle avait besoin de quelque chose, mais la vieille femme lui répondit d'un mouvement de la tête et elles continuèrent vers la colline.

Il était quinze heures passées quand Veronika retrouva sa cuisine. Contre toute attente, elle se sentait étrangement alerte, comme si la marche avait aiguisé ses sens. Elle passa tout l'après-midi à lire et à griffonner des notes, assise à sa table. Elle s'y trouvait encore lorsque le soir tomba et que le soleil s'effaça à contrecœur, jetant sur le paysage des rais interminables avant de finalement sombrer sous l'horizon. Elle mangea du fromage et du craque-pain arrosés d'un verre de vin, puis posa sa tête sur ses bras. Elle se réveilla brusquement peu après et monta s'étendre sur le lit, tout habillée. Elle ne trouva cependant qu'un sommeil agité, peuplé de rêves fugaces. Pour finir, elle se releva et redescendit. Lorsqu'elle retrouva sa place dans la cuisine, un subtil changement s'était opéré derrière la fenêtre. Après avoir atteint son gris le plus intense, la lumière avait tourné et les premiers oiseaux s'étaient mis à chanter. Alors, avec le retour du jour, elle reprit ses lectures.

Chaque fois qu'elle relevait la tête, ses yeux se posaient sur l'autre maison, qui lui retournait son regard à travers la brume blanche.

Du coin de l'œil, elle perçut bientôt un mouvement : Astrid traversait lentement le pré dans le matin blafard. Vêtue des mêmes habits que la veille, elle évoluait avec précaution, comme si elle craignait de perdre l'équilibre. Veronika observa sa lente progression jusqu'à entendre des pas sur le perron, suivis d'un bruit hésitant contre la porte : deux coups discrets, presque inaudibles. Lorsqu'elle ouvrit, Astrid lui tournait à moitié le dos. Elle arrêta son mouvement et, lentement, remonta la marche qu'elle venait de descendre. Elle joignit alors ses mains sur son ventre et se mit à se tordre les doigts.

— Je me demandais si vous aimeriez venir boire le café cet après-midi.

Son regard glissa du visage de Veronika à leurs pieds, avant de revenir à son point de départ.

— Je pensais faire des gaufres, peut-être.

Elle se tut un instant avant de reprendre.

— J'imagine que ce n'est pas plus compliqué que les crêpes. Enfin, je crois, ajouta-t-elle après une nouvelle pause.

Elle releva la tête et haussa les épaules avec un sourire timide.

— Dans le temps, nous mangions toujours des gaufres pour Marie Bebådelsedag, le 25 mars. L'Annonciation. Ne me demandez pas pourquoi. Ici, c'était le jour des gaufres.

Elle observa un nouveau silence.

— Je ne sais pas pourquoi ça m'est venu à l'esprit. Et puis, vous avez sans doute d'autres choses à faire. Une autre fois, peut-être, conclut-elle d'une voix plus faible.

Elle reculait déjà d'un petit pas quand Veronika la rattrapa par le poignet.

— Avec plaisir.

— Quinze heures, alors?

À peine Veronika eut-elle acquiescé de la tête que la vieille femme tourna les talons et reprit le chemin de sa maison, sans un regard en arrière.

Il était encore tôt. Prise d'une soudaine fatigue, Veronika monta s'étendre dans sa chambre.

Elle se trouvait seule dans la piscine. Munie de brassards gonflables orangés, elle flottait à la verticale. Seuls émergeaient de l'eau sa tête et ses bras tendus de chaque côté de son corps. La pointe de ses orteils effleurait à peine les carreaux bleus au fond du bassin. Il faisait nuit et l'eau était illuminée par des lampes invisibles sur le pourtour de la piscine, sous la surface. Sous elle, ses jambes teintées de bleu pâle ressemblaient à des créatures sous-marines animées d'une vie propre. Elle entendait ses parents, mais elle ne les voyait pas. En dehors de l'eau turquoise agitée, elle ne distinguait que les ténèbres. Elle savait qu'ils se disputaient, mais elle tâchait de ne pas pleurer quand, soudain, un coup de vent souffla sur le bassin. Effrayée, elle s'aperçut qu'elle ne sentait plus le carrelage sous ses pieds. Elle ne savait pas nager; elle n'avait pas le droit de se baigner toute seule dans la piscine. Elle essaya de courir dans la masse bleuâtre, battant des bras dans de grandes éclaboussures, buvant la tasse dès qu'elle tentait un cri. Alors une violente bourrasque

47

s'engouffra dans l'air et sembla aspirer toute l'eau, l'attirant à une extrémité du bassin, où elle forma un grand mur diaphane de plus en plus haut. Juste au moment où celui-ci menaçait de s'écraser sur sa tête, elle retrouva le carrelage sous ses pieds. Sans un bruit, l'eau s'affaissa et l'enveloppa, portant son corps, qui se remit à flotter gentiment à la surface de la piscine illuminée tandis que ses orteils trouvaient le fond. Une nouvelle lune tropicale était perchée dans le ciel noir et les voix de ses parents s'étaient évanouies, laissant place aux stridulations sonores des cigales. Elle savait que sa mère était partie ; qu'il ne restait plus que son père, en train de fumer dans son fauteuil de rotin, le regard perdu dans le vague. Comme elle savait que tout était sa faute.

Elle se réveilla en sursaut, désorientée et la bouche sèche. Quatorze heures passées. Il s'était mis à pleuvoir, une bruine fine qui tombait tout droit du ciel blanc. Elle prit une douche rapide, puis s'habilla. Elle s'apprêtait à partir lorsqu'une pensée l'arrêta sur le seuil : il serait impoli d'arriver les mains vides pour sa première visite à sa voisine. Elle remonta donc à l'étage et fouilla dans l'armoire où elle avait rangé ses sacs. Elle avait apporté quelques exemplaires de son premier ouvrage, *Un aller solitaire sans bagage*, qu'elle gardait rangés dans un carton avec d'autres affaires qu'elle n'avait pas encore déballées. Elle en sortit un. Après l'avoir soupesé, hésitante, elle se redressa et descendit.

Elle trouva un stylo dans la cuisine et, ouvrant le livre sur la table, écrivit : « À Astrid, ma voisine. » Puis elle signa en dessous. Elle tourna ensuite la page et étudia les premières phrases : « Le petit canot s'inclina lorsqu'il le mit à flot et y grimpa. Nous étions partis. »

Elle se souvint de la révérence qu'elle avait éprouvée face à l'ampleur de l'entreprise à l'heure de quitter les ruisselets et les mares de la poésie et des nouvelles pour s'embarquer dans l'océan du roman. Pourtant, même lorsque le vent était tombé et que les tempêtes s'étaient levées, elle n'avait jamais douté d'arriver à bon port. Elle avait connu l'enthousiasme, la joie. La frustration, aussi, quoique dans sa forme créative. Au contact du mince volume, elle se rappela le processus dans son ensemble, mais rien de ce livre n'avait de lien avec l'endroit où elle se trouvait à présent, ni avec la personne qu'elle était devenue. Elle le referma et sortit.

Elle sentit l'odeur de la pâte en train de cuire avant qu'Astrid lui ouvre la porte. Dans la cuisine, la vieille femme s'affaira autour du poêle à bois, tournant et retournant le gaufrier quand elle n'entretenait pas le feu. Une nappe de lin blanc raidie et luisante habillait la table, dressée pour deux avec un service de porcelaine fine ornée de roses. Une élégante argenterie – cuillère et fourchette – flanquait chaque tasse et soucoupe, et une serviette de lin reposait, pliée, sur chaque assiette. Trois bougies tremblotaient dans un chandelier en argent. Ce spectacle offrait un contraste frappant avec le reste du décor : les rideaux décolorés, les chaises de bois usées, le plancher dépouillé. Émue, Veronika se sentit l'invitée privilégiée de quelque rituel d'offrande.

Après avoir rabattu la porte du poêle, Astrid apporta un plat garni de gaufres à table. Elles s'assirent ensuite l'une en face de l'autre, sans qu'aucune se décide à commencer.

— C'était à ma mère, finit par déclarer Astrid en soulevant sa tasse. J'ai retrouvé ce service de porcelaine dans la réserve à la mort de mon père. Il a dû le remiser après le décès de ma mère. Je ne m'en suis jamais servie. Je conservais ses pièces dans leurs cartons, je ne m'autorisais à les manipuler que très rarement.

Son doigt glissa sur l'anse gracieuse de la tasse.

— Quand on la tient à la lumière, elle est presque translucide. Aussi fine qu'une coquille d'œuf.

Astrid poussa le plat vers Veronika avant de lui tendre la coupelle de confiture. Tandis que la jeune femme se servait, elle remplit leurs tasses de café.

— Tenez, c'est pour vous, dit Veronika en faisant glisser son cadeau sur la table. C'est peut-être un peu mon sentiment vis-à-vis de mon livre, que c'est une chose fragile qui ne doit pas être traitée avec négligence.

Astrid caressa la couverture du volume, puis laissa sa paume reposer dessus, sans l'ouvrir.

— J'ai l'impression de l'avoir écrit il y a si longtemps, poursuivit Veronika. C'est sans doute un peu comme donner le jour à un enfant : il est de soi, mais ce n'est pas soi. Une fois né, il vit sa propre existence. On est là pour le protéger et prendre soin de lui, on souffre et on se réjouit avec lui, mais, au bout du compte, on doit le laisser vivre sa vie, prendre ses distances et lui donner sa liberté. Et espérer qu'il s'en sortira bien.

Astrid lui adressa un regard profond, comme si elle assimilait ses paroles.

— Oui, convint-elle. Il faut aussi savoir se séparer des biens les plus précieux.

Sa main reposait toujours sur le livre.

— À quoi bon les conserver dans des cartons ?

Son regard se fit distant. Ses lèvres remuèrent, mais Veronika ne réussit pas à saisir ses mots. S'emparant du livre qui reposait sur la table, la vieille femme l'ouvrit et lut la dédicace, traçant les mots de l'index. Quand Veronika reprit la parole, elle releva la tête.

— Je crois que ce livre est une tentative pour comprendre le voyage en tant que tel : ses raisons, son impact sur celui qui l'entreprend, ce qui sépare les gens qui voyagent de ceux qui ne voyagent pas.

Son regard se porta sur la fenêtre.

— J'ai passé presque toute ma vie à voyager. Mon père est diplomate. Après le départ de ma mère, il a accepté des postes à l'étranger. Je crois que c'était pour mieux subvenir à mes besoins. Ç'aurait été plus difficile ici, en Suède. J'étais confiée aux soins de nounous – des *amahs*, des *ayahs*, des jeunes filles au pair –, mais je voyageais avec mon père.

Astrid se leva et alla jusqu'au poêle. Quand elle revint, elle proposa du café chaud à Veronika avant de se rasseoir.

Elle s'appuya alors contre le dossier de sa chaise, les mains sur son giron.

— Aujourd'hui, je regarde les tasses de ma mère et je pense à toutes ces années. J'imagine qu'elles ont été achetées et offertes avec amour, déballées entre ces murs avec une joie impatiente, rangées avec soin dans les placards. Tout ça pour finir reléguées dans la réserve et ne plus jamais servir. Quel gâchis!

Elle releva la tête. Décontenancée, Veronika vit que ses yeux étaient baignés de larmes. Visiblement gênée, Astrid quitta sa chaise et se réfugia près du poêle, où elle s'appliqua à raviver le feu. Elle ajouta du bois, qu'elle regarda prendre avant de refermer la porte.

— Quel gâchis! répéta-t-elle, le dos tourné. Quel affreux gâchis! Mais il faut dire que, placées entre de mauvaises mains, les choses fragiles se brisent. Entre de mauvaises mains, un livre n'est que du papier. De la paperasse pour allumer le feu ou nettoyer les fenêtres. Cette porcelaine, aussi fine qu'une coquille d'œuf…

Elle se tut le temps de refermer la fenêtre au-dessus de l'évier.

— Comme ça, elle est toujours là, au moins, conclut-elle. Peut-être qu'un jour quelqu'un la déballera avec autant d'amour que ma mère et qu'elle pourra enfin remplir l'usage auquel elle était destinée.

Elle regagna sa chaise et, une fois attablée, reprit le livre.

— Toutes ces années, dit-elle. Ici, dans cette maison.

Elle considéra Veronika avant de poursuivre:

— Je n'ai quitté le village qu'une fois. Une seule fois dans une très longue vie. J'avais pourtant tant à quitter. Et si peu à regretter.

# 7

*Seul sous le firmament*
*serpente le sentier sur lequel je chemine.*

## Astrid

Autrefois, je rêvais du monde. Pas tant de partir que du monde. Je m'asseyais ici, dans la cuisine, et je regardais par la fenêtre. Le village en contrebas était un autre monde, et les champs et les montagnes en cachaient d'autres encore. Je contemplais la rivière dans son lit en me demandant où elle courait avec tant de hâte.

Ce fut un jour de janvier, un jour d'un froid mordant, que je partis vivre chez mon grand-père maternel. L'instituteur était malade, comme bon nombre d'élèves, et l'école avait fermé ses portes. J'ai bien tenté de comprendre les raisons qui poussèrent mon père à m'éloigner de la maison. Peut-être avait-il peur pour lui, ou pour moi. Pas pour moi, personnellement, mais pour le lien à l'avenir que je représentais pour lui. Plusieurs écoliers moururent cet hiver-là.

Je savais que mon grand-père vivait à Stockholm, mais tout contact avec la famille de ma mère avait été rompu à sa mort. Je ne gardais aucun souvenir de mes grands-parents. Ma grand-mère était décédée peu après ma mère. Quant à mon grand-père, il n'était qu'un nom sans visage. Bien sûr, je savais aussi que Stockholm était la capitale de la Suède, mais j'ignorais à quoi pouvait ressembler la ville. Elle aussi n'était qu'un nom.

Les enfants sont contraints de construire leur monde à partir d'informations tellement incomplètes. Ce sont d'autres qui tranchent pour eux, et ils ne se voient jamais transmettre que des bribes de la logique sous-tendant telle ou telle décision. Enfants, nous habitons un monde constitué de fragments incohérents. Enjoliver et combler les lacunes est une opération inconsciente, me semble-t-il, qui se poursuit peut-être tout au long de la vie. Que l'on m'envoie à Stockholm sous la garde d'Anna, la jeune bonne, était pour moi totalement incompréhensible et effrayant. Cependant, une fois la décision prise, je l'acceptai sans poser de question.

— C'est juste pour un petit moment, me rassura Anna. Tu te plairas, tu verras.

Et je m'enfonçai un peu plus dans ma solitude.

La haute silhouette qui nous attendait sur le quai à notre arrivée à Stockholm n'avait rien pour me réconforter. Après avoir accepté un billet de dix couronnes plié de sa main gantée, Anna fila rejoindre le quai d'en face à petits pas pressés. Lorsque mon grand-père m'étudia de toute sa hauteur, il me sembla que le monde n'abritait plus que lui et moi. À mon tour, je scrutai son visage étroit, mais ni ses yeux ni sa bouche ne me parlèrent. Des cristaux de givre se mêlaient aux poils gris de sa moustache et de sa barbe, juste sous sa lèvre inférieure. Sans un mot, il empoigna ma valise et ouvrit la marche, traversant le quai pour sortir dans un après-midi d'hiver diaphane.

Nous marchâmes jusqu'à Drottninggatan, où mon grand-père possédait un appartement. Jamais je n'avais vu de bâtiments de pierre aussi hauts, ni de tramways, ni de rues pavées, ni de réverbères. Cependant il ne m'expliqua rien, avançant d'un pas vif que j'avais toutes les peines du monde à suivre. Son long manteau noir battait autour de ses grandes jambes avec des sifflements tandis que je me pressais à son flanc, inspirant de courtes bouffées d'air glacial.

Lorsqu'il ferma sur nous la porte de l'ascenseur et que nous nous retrouvâmes tout près l'un de l'autre, sans toutefois nous toucher, dans la cabine exiguë qui entamait en grinçant sa lente montée, je fondis en larmes. Quand l'ascenseur s'arrêta enfin pour nous libérer, mon grand-père sortit de sa poche un mouchoir marqué d'un monogramme, qu'il me tendit sans un mot avant d'ouvrir la porte d'entrée.

Spacieux, l'appartement présentait de hauts plafonds et des couloirs sombres et tortueux qui débouchaient sur des pièces plongées dans la pénombre. J'y entendais encore la rumeur de la rue. Des bruits inconnus. Des bruits urbains. Une forte femme avec un tablier apparut dans le vestibule. Après avoir débarrassé mon grand-père de son chapeau et de son manteau, elle porta son attention sur moi. S'accroupissant pour placer son visage à la hauteur du mien, elle déboutonna mon manteau et dénoua les rubans de mon chapeau.

— Voici donc la petite Astrid, dit-elle.

Ses yeux bleu clair qui fouillaient mon visage paraissaient immenses derrière les épais verres de ses lunettes. D'un geste de la main, elle m'effleura le menton pour le relever. Elle sentait le savon.

— Moi, c'est madame Asp. Suis-moi, je vais te montrer ta chambre.

Elle me précéda dans le corridor, ma valise à la main. Sous sa jupe noire tendue sur ses fesses, Mme Asp ondoyait comme de l'eau qui se gonfle, d'un côté puis de l'autre, animant d'un lent balancement les attaches de son tablier qui flottaient derrière elle. Ses cheveux, gris et bouclés, étaient rassemblés sur sa nuque en un chignon lâche. Elle me paraissait très vieille, peut-être aussi vieille que mon grand-père.

Je ne saurais dire combien de temps je restai à Stockholm. Un mois et demi? Deux mois? Le premier soir, je contemplai les lumières de la rue sur le plafond, couchée dans mon lit froid dont la lourde courtepointe rouge sombre me clouait entre les draps amidonnés. Des notes étouffées s'échappaient d'une pièce. Personne n'avait fait le moindre effort pour me réconforter, m'expliquer pourquoi j'étais ici et quand je rentrerais à la maison. Je ne savais même pas si j'y rentrerais un jour. Et si c'était un arrangement permanent? Si mon père m'avait exilée à jamais?

Je voyais peu mon grand-père. Livrée à moi-même, j'errais sur les lattes brillantes du parquet grinçant, les mains dans le dos. À seulement dix ans, je dus me satisfaire, pour existence, d'un monde nébuleux et solitaire sans début ni fin.

Deux centres d'intérêt occupaient la majorité de mon temps : la bibliothèque et le piano. La bibliothèque de mon grand-père, dont les murs étaient tapissés de livres protégés par des portes vitrées, sentait le papier sec et le silence. Des rayons entiers y étaient consacrés à des ouvrages aux titres impossibles, écrits dans des alphabets que je ne reconnaissais pas. Bien que les portes soient verrouillées, des livres attendaient toujours sur le bureau près de la fenêtre et sur la table basse qui flanquait le fauteuil. Assise sur le bord du siège, je tournais lentement les pages des volumes en faisant bien attention à marquer du doigt l'endroit où je les avais trouvés ouverts. La plupart des cadres qui décoraient la table de travail et les murs contenaient des photographies de ma mère ou de ma grand-mère. Un grand portrait de ma mère rehaussé d'argent trônait au centre du bureau. À demi détournée de l'objectif, elle jetait un regard par-dessus son épaule et me souriait. Ses cheveux, retenus en arrière par une barrette, tombaient librement dans son dos. Elle paraissait au comble du bonheur. Souvent, je prenais ce portrait entre mes mains et l'approchais de mon visage, si près que mon nez touchait presque le verre, pour plonger dans ses yeux. D'autres photographies de ma mère, plus petites, agrémentaient la pièce. On l'y voyait en selle; coiffée de son chapeau de diplômé avec des brassées de fleurs; devant un chevalet, vêtue d'une blouse de peintre et le pinceau à la main; bras dessus, bras dessous avec ses parents, tous les trois souriants sous les larges bords de chapeaux d'été.

Cependant, il n'y avait aucune photographie d'elle sur laquelle nous figurions, moi ou mon père.

Le piano se trouvait dans le salon. Malgré les soins dont l'entourait Mme Asp, qui l'époussetait et le cirait régulièrement, jamais je n'entendis personne en jouer. Je m'asseyais sur le tabouret et laissais mes doigts interpréter des airs imaginaires sur le couvercle du clavier. Un jour, en relevant la tête, je surpris mon grand-père en train de m'observer, debout dans l'embrasure de la porte. Je me figeai. Alors, sans un mot, il tourna les talons.

Mme Asp m'emmenait parfois en courses. Nous allions acheter du poisson au marché, ou chez le boucher.

— Si seulement je pouvais acheter du porc, soupira-t-elle un jour. A-t-on déjà vu une soupe aux pois sans jambon?

— Pourquoi on ne peut pas en acheter? l'interrogeai-je.

— Oh, bien… on ne peut pas, voilà tout. Ton grand-père refuse d'en manger.

Un jour, nous prîmes le tramway jusqu'au palais royal, dans la vieille ville, pour assister à la relève de la garde. Il faisait froid et, à notre retour, elle me fit tremper les pieds dans une petite bassine d'eau fumante pendant qu'elle me préparait un chocolat chaud. J'en vins à redouter le samedi, son jour de congé. Le vendredi, elle cuisinait de la soupe qu'elle rangeait à l'office pour le dîner du lendemain. Mon grand-père sortait dès le matin, m'abandonnant derrière lui. Je passais la plupart de mes journées dans l'appartement, mais les samedis étaient, de toutes, les plus solitaires. Je ne recevais aucune nouvelle de mon père et, petit à petit, le village et la maison s'effacèrent de mon esprit.

Un soir, alors que je m'apprêtais à me coucher, je surpris une conversation entre Mme Asp et mon grand-père, dans le corridor.

— Elle passe ses journées ici, toute seule. Ce n'est pas bien. C'est une gentille enfant, ce n'est pas bien.

Un long silence succéda à la remarque de la bonne, puis la voix de mon grand-père s'éleva:

— Je n'ai jamais demandé à l'avoir. C'est le portrait craché de son père, sa seule vue m'est une souffrance.

— Ce n'est qu'une petite fille, déclara Mme Asp. Votre petite-fille.

Je n'entendis pas la réponse de mon grand-père, mais je reconnus le bruit ouaté de la porte de son bureau en train de se fermer.

Il plut le jour de mon départ. Mme Asp m'accompagna à la gare à pied. La neige avait presque entièrement fondu dans la nuit et de larges plaques de glace tombaient des toits. Des panneaux conseillaient aux piétons de ne pas approcher des trottoirs, quand des cordons de sécurité n'en interdisaient pas tout bonnement l'accès, nous obligeant à marcher sur la chaussée striée de ruisselets d'eau sale. À la gare, Mme Asp monta avec moi dans le wagon pour déposer ma valise dans le compartiment à bagages. Après quoi, elle m'assit et me serra dans ses bras. La monture froide de ses lunettes me mordit la joue quand elle colla son visage contre le mien.

— Au revoir, ma chère enfant. Ne crois pas que ton grand-père ne t'aime pas. Jamais. C'est simplement que…

Elle se redressa et ouvrit son panier à provisions, dont elle sortit un sac en papier.

— Tiens, un petit quelque chose à grignoter pendant le voyage.

Après m'avoir caressé la joue de sa main froide, elle enfila ses gants, ferma son panier et descendit de voiture. Elle m'adressa un dernier signe rapide de la main, puis tourna les talons et disparut dans la foule.

Après mon retour, je me demandais parfois si cet épisode de ma vie était bien réel. Il ne m'en restait ni preuve, ni témoin, ni personne avec qui partager mes souvenirs. En m'étudiant dans le miroir de la salle de bains, je constatai avec étonnement que je n'avais pas changé. Je retrouvai également la maison et le village tels que je les avais laissés. Je repris donc ma place, sans poser de question.

Depuis, je n'ai plus jamais quitté le village. Cela va sans doute vous paraître difficile à croire, mais je ne suis jamais allée à Borlänge. Ni à Falun, ni même à Leksand. J'ignore quels mondes cachent les forêts et les montagnes. Comme j'ignore où court la rivière.

# 8

*Viens, assieds-toi près de moi,*
*je te dirai mes chagrins,*
*nous échangerons nos secrets.*

Veronika reposa avec précaution sa tasse, soudain inquiète à l'idée de risquer de briser la porcelaine fine. Astrid tenait la sienne nichée dans le creux de ses mains sur la table, comme pour la protéger. Elle redressa la tête.

— Venez, je vais vous faire visiter la maison.

Elle se leva et fit signe à Veronika de la suivre. Après avoir traversé le vaste espace de la cuisine, elle emprunta le couloir, la jeune femme sur ses talons.

— Je vis ici, expliqua-t-elle avec un mouvement de la tête par-dessus son épaule. Dans la cuisine et la petite pièce derrière. Je ne prends même pas la peine de chauffer le salon, et je monte rarement à l'étage.

Du doigt, elle indiqua une porte fermée au fond du couloir.

— De ce côté, c'est le salon.

Un large escalier qui virait à mi-hauteur conduisait au premier étage. Astrid s'arrêta sur la première marche pour pointer l'index sur une porte close, à sa gauche.

— C'était le bureau de mon père. Maintenant, je ne m'en sers plus que comme débarras.

Elle continua son ascension. En haut de l'escalier s'ouvrait un grand palier carré dont les généreuses fenêtres offraient une double exposition. Quatre portes se dressaient en face des marches, une cinquième tout de suite à leur droite. Par la fenêtre de gauche, Veronika pouvait voir sa maison ; celle d'en face donnait sur le chemin de terre qui débouchait sur la route de la colline. Un imposant métier à tisser occupait une grande partie de la surface. Deux fauteuils en osier et une table basse étaient disposés près de la fenêtre de droite. Toutefois, rien n'accrochait plus le regard que les innombrables tapis en chutes de tissu qui s'entrecroisaient sur le plancher, quand ils n'étaient pas roulés près de la machine.

— Quand mon père est mort, j'ai découpé tous ses vêtements et je me suis mise à tisser. Quand mon mari a été placé en maison de retraite, je suis passée aux siens.

Astrid foula l'un des tapis, frottant ses plantes de pied contre le textile.

— Je prends plaisir à marcher dessus.

Saisissant Veronika par la main, elle la conduisit jusqu'à l'une des portes à l'autre bout du palier.

— C'était ma chambre autrefois, expliqua-t-elle en l'ouvrant.

À l'intérieur, l'air était immobile et sombre. La fenêtre disparaissait sous un store tiré.

— Après mon mariage, mon père s'y est installé. C'est ici qu'il est mort.

Ses yeux balayèrent le lit étroit revêtu d'un jeté en crochet blanc.

— Quand je l'ai trouvé, c'était déjà fini pour lui. Il était tout recroquevillé, avec les yeux grands ouverts. Je lui ai abaissé les paupières et couvert le visage.

Elle se retourna, fermant la pièce derrière elle.

— Ici, c'est une autre chambre, déclara-t-elle sans s'arrêter pour la montrer à Veronika. J'imagine qu'on pourrait appeler ça une chambre d'amis, sauf qu'il y a des lustres qu'il n'est plus venu d'amis ici.

Avec un mouvement de la tête en direction de la pièce suivante, elle expliqua qu'il s'agissait de la salle de bains, puis traversa le palier. La main sur la poignée d'une nouvelle porte, elle marqua un temps d'arrêt.

— La dernière pièce, là-bas, n'est qu'une petite chambre. Je…

Elle n'acheva pas sa phrase, se contentant de pointer le menton vers la dernière porte à droite, face à l'escalier, sans détacher le regard de sa main. Elle tourna ensuite la poignée entre ses doigts.

— Voici la chambre principale, dit-elle en s'effaçant pour laisser entrer Veronika.

Un grand lit double emplissait presque toute la pièce. Un petit secrétaire et une chaise étaient collés contre le mur d'en face, à côté d'une imposante armoire. Les meubles, anciens, étaient confectionnés dans du bois sombre. Dans la fraîcheur de la chambre, Veronika ne décela aucune odeur. On se serait presque cru dans un musée, devant l'exposition d'un lointain passé.

— J'aère les pièces une fois par semaine. Le reste du temps, je ne monte jamais.

Astrid traversa la chambre pour ouvrir une porte à double battant donnant sur un balcon qui courait sur toute la longueur de la maison. Elles sortirent et, appuyées à la balustrade, contemplèrent les pommiers aux branches encore dépouillées, les champs encore jonchés du foin écrasé de l'an passé et, en contrebas, le village qui se détachait sur la toile de fond formée par de lointaines collines. Dans l'air piquant, une frémissante gaze grise de brouillard clairsemé montait de la vallée.

— C'est pourtant une si belle vue! Je n'y ai jamais pris plaisir, vous savez.

Astrid tourna alors les talons et rentra dans la chambre, où elle attendit que Veronika en fasse autant pour refermer les portes-fenêtres.

Sur le chemin du retour, Veronika inspira une grande bouffée d'air. Bien que l'herbe nouvelle pointe à peine à travers le linceul végétal et que les feuilles des bouleaux ne s'ouvriraient pas avant une semaine ou deux, elle sentait autour d'elle un essor bourgeonnant. Le jour se prolongeait à présent jusqu'au soir.

Ce fut bientôt la semaine précédant la Pentecôte. Veronika écrivit son message en buvant son café du matin et glissa l'enveloppe dans la boîte aux lettres d'Astrid en passant devant. Ce ne fut qu'après coup qu'elle songea que la vieille femme ne vérifiait peut-être pas souvent son courrier. Elle décida de patienter un jour ou deux. Au cours des semaines passées, elle avait aperçu sa voisine dehors, le plus souvent en train de besogner sur une petite parcelle exposée au sud, défrichant et désherbant. Elle n'avait pas cherché à l'aborder. Elle avait vaqué à ses occupations, fidèle à ses promenades quotidiennes et à l'écriture, à laquelle elle consacrait la plupart de ses après-midi, jusqu'à une heure avancée des soirs clairs.

Le lendemain matin, quand elle jeta un coup d'œil dans la boîte aux lettres de la vieille femme, le pli avait disparu. Elle ne reçut pourtant aucune nouvelle d'elle ce jour-là, pas plus qu'elle ne la vit travailler dans son jardin. Cependant, en passant, elle remarqua la fenêtre de la cuisine ouverte. Sans doute Astrid se trouvait-elle derrière, à observer. Veronika entrevit soudain la beauté d'antan de cette maison et de ce jardin. De larges bouleaux se dressaient devant, leurs bourgeons mauves tout près d'éclore, et une vaste étendue pentue dévalait vers le village à l'arrière. Du côté ouest, de grands merisiers à grappes abritaient une haie de lilas laissée à l'abandon. Veronika imaginait sans mal le merveilleux spectacle qu'ils offriraient bientôt, lorsque leurs fleurs se seraient ouvertes. Derrière la maison se trouvait un verger envahi par les herbes folles et planté de pommiers aux troncs couverts de lichen gris, dont les branches nues étaient hérissées de bourgeons épars. Des plates-bandes devaient autrefois border la clôture car quelques jonquilles pointaient tant bien que mal au milieu du chiendent. Tout à coup, elle s'aperçut que son jardin à elle aussi réclamait un peu d'entretien. Son jardin? Ce n'était ni sa maison, ni son jardin. Il lui arrivait encore de s'étonner de se trouver dans ce village, entre ces murs.

Elle feuilletait son journal, consultant d'anciennes notes, en ajoutant de nouvelles. Chacune de ces lectures la transportait dans un autre monde, curieusement plus présent au fil des jours, comme si le temps et la distance opéraient un effet de loupe.

Chaque nuit, elle rêvait de la plage et de la mer, mais de ces images ne restaient souvent que des bribes au matin, lorsqu'elle était complètement réveillée. Les sensations qui les accompagnaient persistaient toutefois jusqu'au soir.

Contre toute attente, ses souvenirs lui semblaient nets et vivants dans cet environnement indépendant d'eux. Lorsqu'elle regardait le jardin en friche de sa voisine renaître lentement à l'approche de l'été, le lin et le *pohutukawa* en bourgeons de Nouvelle-Zélande s'imposaient à ses yeux. Peut-être avait-elle besoin de toute cette distance pour bien voir, pour permettre aux souvenirs de remonter à la surface. Toutefois, elle avait beau effleurer le passé, elle n'arrivait pas à le transformer en mots. Elle passait des heures stériles devant son ordinateur. Le livre qu'elle avait entrepris semblait se dérober chaque jour un peu plus. D'un côté, il y avait les souvenirs, envahissants ; de l'autre, la vie quotidienne au village ; et puis le livre. Elle avait beau vivre avec les trois, il ne semblait exister aucun lien entre eux.

Ce ne fut que le lendemain qu'elle reçut le message. Bien qu'elle n'eût pas vu Astrid le déposer, il l'attendait dans sa boîte aux lettres le matin. L'enveloppe était jaunie, la colle séchée. Quoique élégante, l'écriture dénotait une rédaction douloureuse, une lutte avec le stylo et les mots. Mais c'était une réponse positive.

« Merci, chère Veronika. Votre enveloppe a éveillé ma curiosité. Ce n'est pas tous les jours que je trouve du courrier dans ma boîte aux lettres, je ne prends d'ailleurs pas souvent la peine de l'ouvrir. Imaginez donc ma joie de recevoir une lettre personnelle. Une invitation, de surcroît. Je l'accepte, bien entendu. De tout cœur. »

Astrid venait dîner.

# 9

*Ce soir, rien, rien ne s'est passé,*
*mais il se passe pourtant quelque chose.*

Au final, Veronika trancha pour un repas sans viande. La semaine, estivale à souhait, prêtait davantage à un menu léger. Elle se rendit en voiture au village voisin pour acheter trois truites fumées à chaud au petit fumoir au bord de la rivière. La veille, le magasin avait reçu son premier arrivage de pommes de terre nouvelles, des importations hors de prix dont elle avait tout de même acheté un sac.

Tout était prêt. Elles dîneraient dans la cuisine, près de la fenêtre ouverte au soir lumineux de l'été naissant. L'air s'insinuait dans la maison, charriant les odeurs et les notes de la nuit approchante : les fleurs qui se referment, la rosée qui se dépose sur l'herbe, les insectes diurnes qui se taisent au réveil de leurs semblables nocturnes. La chaleur de la cuisine mêlait à cette brise des parfums d'aneth mollissant sur des pommes de terre fumantes, de citron coupé, de fromage fort. Elle avait débouché du chardonnay de Nouvelle-Zélande, dont elle s'était servi un verre. Alors qu'elle attendait devant la fenêtre, elle porta le vin à ses lèvres et en absorba une première gorgée, laissant les saveurs familières se développer sur sa langue : pomme, raisin, ananas, goyave du Brésil, beurre, herbe. Les experts eux-mêmes peinaient à trouver les mots pour le décrire. Devant le paysage encore enveloppé de soleil malgré une quiétude toute vespérale, elle s'imprégna du calme immense. Elle repoussa ensuite la fenêtre, ne conservant qu'un étroit interstice. Une fine pellicule de vapeur d'eau voila le verre, que la condensation stria de larmes. Elle avait mis de la musique : *Förklädd Gud*, de Lars-Erik Larsson. Dieu déguisé. Ses sens semblaient s'être unis pour former un tout. La tranquillité du soir, les odeurs de cuisine, le goût du vin, le son de la musique. Avec surprise, elle s'aperçut qu'elle était habitée par une certaine impatience, discrète et mesurée.

Elle posa son verre sur la table et se posta devant le plan de travail pour préparer la mayonnaise. À l'aide d'un fouet, elle ajouta l'huile à la moutarde et aux jaunes d'œufs dans une jatte, une hanche contre le comptoir, un pied appuyé sur l'autre. Ses mains remuaient, les notes s'égrenaient. Rien ne l'avertit du brusque retour de mémoire qui la percuta avec une force presque physique. Tous les deux riaient dans la cuisine de sa mère. James préparait de la mayonnaise pour elle, dans une autre vie. Ses mains hâlées s'activaient avec grâce, sans effort, œuvraient tandis qu'il lui contait les merveilles à venir. Les mains de Veronika, elles, se figèrent sur le plan de travail.

À cet instant précis, des pas résonnèrent sous le porche. Abandonnant le fouet sur le comptoir, elle alla ouvrir la porte. La lampe du vestibule éclairait son invitée, dont le visage pâle était rehaussé par une chemise d'homme blanche. Astrid lui tendit ses deux mains, lui présentant, d'un côté, une bouteille remplie d'un liquide grenat et, de l'autre, deux petits verres qu'elle tenait à l'envers, par leur pied fin. Après l'avoir débarrassée, Veronika lui effleura le coude pour la conduire à l'intérieur, refermant la porte du pied.

Dans la cuisine, Astrid refusa la chaise que la jeune femme lui proposa pour se poster à la fenêtre, les mains derrière le dos, les yeux fixés sur sa maison. Sa chemise trop grande, qui tombait en plis lâches sur ses fesses, dissimulait la forme de son corps. Comme celle à carreaux qu'elle portait lors de leur promenade, elle lui arrivait à mi-cuisse, mais ses manches retroussées révélaient des poignets d'une finesse surprenante. Son cuir chevelu transparaissait à travers les mèches grises au sommet de son crâne. Elle s'était déchaussée près de la porte d'entrée et ses chaussettes foncées, elles aussi un peu trop grandes, formaient une pointe vide au bout de ses orteils. Le bas de son pantalon sombre semblait trempé par la rosée du pré qu'elle venait de traverser. Veronika lui offrit du vin, qu'elle accepta avec un petit sursaut. Les deux mains autour du verre, elle but lentement, paupières fermées. Aucune d'elles ne prononça plus un mot et, dans le silence, la musique emplit la pièce.

Elles s'attablèrent l'une en face de l'autre. La vapeur chaude du saladier de pommes de terre tremblotait dans la brise légère qui se glissait par la fenêtre. Les truites rose vif étaient couchées sur un plat, entourées de quartiers de citron et flanquées d'une coupelle contenant la mayonnaise. Sur la table étaient également disposés du craque-pain, un petit panier rempli de morceaux du grand pain de seigle local, rond et croustillant, du beurre et du fromage si affiné qu'il s'effritait. Alors qu'elles entamaient leur dîner, Veronika parla un peu de la Nouvelle-Zélande et de son livre.

— Je pensais écrire une histoire d'amour, mais je n'en suis plus si sûre, constata-t-elle. C'est comme si elle m'avait filé entre les doigts ou s'était évanouie de l'écran de mon ordinateur. Je commence à me demander si un autre récit n'est pas en train de s'immiscer dans le mien.

La vieille femme écouta sans un mot, les yeux sur son assiette. Dès qu'un agréable silence s'introduisait dans la conversation, les notes de musique prenaient leur essor pour emplir l'intervalle. Soudain, Astrid leva la tête de son assiette.

— Ils parlent de moi, je le sais. Au village.

Elle esquissa un sourire, une drôle de petite grimace aux lèvres pincées.

— Je me demande ce qu'ils trouvent encore à dire. Mais ils ne sont jamais à court d'idées. Ils ne savent pourtant rien qui en vaille la peine.

Elle fit pivoter son verre dans sa main.

— Je suis sûre que vous savez qu'ils m'appellent « la sorcière ». Ça m'est égal. Après tout, ils n'ont peut-être pas tout à fait tort, ajouta-t-elle avec un nouveau petit sourire étrange, ses pupilles rivées sur son verre. Depuis quelque temps, j'ai l'impression que ça me soulagerait de dire la vérité. Ou, plutôt, ma version d'une vérité.

Relevant les yeux, elle croisa le regard de Veronika.

— Mais à qui?

Veronika demeura muette, faisant tourner son verre de vin dans sa main. Elles poursuivirent le dîner en silence. De temps à autre, elles s'accordaient un repos, posant leurs couverts sur leur assiette et leurs coudes sur la table. Après avoir débouché une seconde bouteille de vin, Veronika se leva pour changer de disque, optant pour des chansons composées sur des textes d'Erik Axel Karlfeldt. Elle s'arrêta un instant pour écouter les paroles.

Elle foule les prairies de Sjugareby.
Petite Dalécarlienne au teint cristallin,
oui, saxifrage granulée, églantine en fleur…

Lorsqu'elle se rassit à table, le visage d'Astrid rayonnait d'une chaleur nouvelle. Soudain, Veronika crut entrevoir la jeune femme qui regardait par la fenêtre avec tant d'envie, curieuse des mondes au-delà des forêts et des montagnes. Elle fouilla le visage ridé à la recherche de vestiges d'une beauté depuis longtemps perdue, à la recherche d'espoir. Aujourd'hui, la science permettait bien de dessiner le visage adulte à partir du visage de l'enfant, une technique que l'on utilisait parfois dans des cas de disparition. Veronika tenta d'effectuer l'opération inverse, modelant les traits de la jeune Astrid à partir de ceux de la vieille femme en face d'elle.

Un jour, peu après son arrivée, la caissière de la boutique du village lui avait parlé de « la sorcière », insistant pour lui montrer une carte postale en noir et blanc. Sur l'image déchirée, une jolie jeune fille blonde en costume traditionnel posait sur une barrière de bois, un sourire timide sur les lèvres.

— C'est elle. Je vous le jure. Difficile à croire, hein? avait jubilé son interlocutrice.

Veronika ne trouvait plus cela si difficile à croire. Il fallait juste un peu de recul. Les yeux bleu barbeau avaient conservé leur beauté, mais ils considéraient à présent le monde avec prudence et suspicion. Une faible vue, ou peut-être simplement la vie, les avait rétrécis en un perpétuel plissement. La peau tirée sur le front et les fins cheveux gris ramenés en arrière exhibaient un crâne dont la forme inquiétante évoquait à la fois la douceur fragile d'un nourrisson et une tête de mort. Veronika repensa aux nattes épaisses de la jeune fille, qui pendaient sous son chapeau jusque sur sa poitrine. Elle revit le nez droit, les dents blanches, le sourire. À la lueur dansante des bougies, le nez s'étirait, étroit, et des ombres dessinaient de profonds replis sous les commissures des lèvres. La bouche traçait une ligne mince, masquant des gencives qui semblaient en grande partie édentées. Il était impossible d'associer cette bouche avec le sourire d'espoir de la jeune fille. Mais peut-être n'y avait-il jamais eu beaucoup d'espoir.

Lorsque la musique s'acheva, Astrid regardait par la fenêtre, ses deux mains posées sur la table, de chaque côté de son verre à moitié plein. Alors elle se mit à fredonner:

— *Hon kemmer utför ängarna vid Sjugareby...*

Elle ferma les yeux et sa voix monta, de plus en plus assurée. Après l'avoir observée un instant, Veronika ferma les paupières pour l'écouter. À l'inverse de sa diction, lente et hésitante, les paroles de la chanson coulaient avec clarté et beauté de sa bouche. Après le dernier couplet, elles gardèrent un moment le silence.

— J'aimais beaucoup chanter, finit par observer Astrid. Ma mère me chantait des chansons. Je n'en comprenais pas les paroles, mais je les absorbais, comme le font les enfants. J'écoutais sa voix et je mémorisais les sons. Plus tard, à l'école, j'ai appris les chants provinciaux. Celui-ci, par exemple.

Et elle se remit à chanter.

Dieu, fais briller le soleil
sur nos montagnes bleues
sur nos gentes Dalécarliennes
qui vont à travers bois
quand l'été est là.

À la fin du repas, Veronika prépara du café. Comme elle posait les tasses sur la table, Astrid se leva pour aller chercher la bouteille et les deux petits verres qu'elle avait apportés.

— Je ne me fatiguais plus à les chercher depuis des années, dit-elle sans préambule en pointant la boisson du bout du menton. Les fraises sauvages.

Elle se rassit et saisit le tire-bouchon.

— Ça fait plus de soixante ans que j'en ai mis des plants derrière ma maison. Je les ai trouvés dans la forêt. Tout le monde disait que c'était impossible, que les fraisiers sauvages ne pouvaient pas être repiqués. Mais j'ai pris soin de mon carré et ils ont grandi. Chaque année, au printemps, je courais les défricher dès que la terre dégelait. Puis je prélevais les nouvelles pousses et je les mettais en pot jusqu'à ce qu'elles soient assez robustes pour aller en terre. Je m'en occupais tout l'été. Et je cueillais les fruits quand ils étaient mûrs. De petites fraises vermillon dont le parfum tenait longtemps aux mains. Jamais je n'en ai mangé d'aussi douces. Je faisais des confitures et des conserves. Du cordial, aussi. Et, parfois, cette liqueur.

Elle décolla la cire qui couvrait le cylindre de liège, puis y enfonça le tire-bouchon pour l'extirper du goulot. Après avoir approché son nez de l'ouverture pour humer la boisson d'un rouge profond, elle remplit les deux verres.

— Je ne pensais pas qu'il m'en restait une bouteille. Ça fait si longtemps. D'ailleurs, je croyais qu'il ne restait plus rien dans le jardin. Mais, quand j'ai regardé, l'autre jour, je l'ai trouvé : mon carré de fraisiers. En friche et enseveli sous les mauvaises herbes, mais bel et bien là.

Elle souleva son verre, les yeux fixés sur ceux de Veronika.

— Il en va de même des secrets. Des souvenirs, aussi. On peut bien se convaincre qu'ils ont disparu, ils sont toujours là quand on y regarde de plus près. S'il y a une volonté de les déterrer.

Veronika leva son verre dans la lumière. Son contenu bordeaux, mystérieux et suggestif, évoquait un breuvage de sorcière. Lorsqu'elle le porta à son nez, elle respira le parfum des fruits mûrs. Alors elle ferma les yeux et but une gorgée, laissant la saveur sucrée emplir sa bouche.

Assises dans la cuisine, leur verre sur la table devant elles, elles sirotèrent tranquillement la liqueur au son de la musique. Astrid ne quittait pas des yeux sa maison, de l'autre côté du pré où ondoyaient sur l'herbe de pâles nappes de brume.

— Les fraises sauvages, dit-elle en tournant le pied fin de son verre entre ses doigts.

# 10

*Je marche sur le soleil,*
*je suis debout sur le soleil.*
*Je ne connais rien d'autre que le soleil.*

## Astrid

Il y avait dans la forêt, perché dans les collines derrière le village, un endroit où j'avais coutume de me rendre. Il fallait le connaître pour le trouver, aucun sentier n'y conduisait. C'était une petite clairière au milieu de bois denses, avec de l'herbe douce et argentée, et des fraisiers sauvages. Je l'avais découverte par hasard en cherchant des champignons à l'automne et j'en avais fait ma cachette secrète. Les sapins sombres tout autour semblaient monter la garde, comme s'ils protégeaient ce lieu, et moi avec. J'y passais parfois la journée entière. J'y étalais ma couverture et je m'étendais. J'étais seule au monde, en sécurité.

L'année de mes seize ans, l'été tarda à venir. Mais, la semaine suivant le solstice, il arriva brusquement, avec son cortège de jours chauds sans un souffle d'air. Je n'avais aucune obligation particulière, personne ne m'avait parlé de ce qui m'attendait après l'école. Je flânais. Le plus souvent, je partais pour mon endroit secret tôt le matin et n'en revenais que lorsque le soleil disparaissait derrière les sapins et que l'ombre envahissait lentement l'espace. Personne ne s'inquiétait de mon absence.

75

Ce fut donc un véritable choc lorsque, un beau jour, je trouvai quelqu'un dans la clairière. Agenouillé par terre, il cueillait des fraises sauvages pour les enfiler sur une paille de fléole des prés. Je me pétrifiai sous le couvert des arbres. Je n'avais pas fait de bruit, mais il dut sentir ma présence car il se leva en tendant dans sa main le brin de paille, semblable à un rang de perles vermillon. Avec un sourire, il ouvrit ses deux paumes comme pour s'excuser. Comme pour reconnaître sa présence importune et capituler devant le propriétaire légitime.

Je le reconnus vaguement. J'ignorais son nom, mais je savais qu'il habitait le village voisin. Grand et robuste, il semblait habitué aux durs labeurs des champs. Sa peau était semée de taches de son et ses cheveux blonds presque blanchis par le soleil. Ses yeux, d'un gris infiniment clair, étaient veinés d'ambre. Mais cela, je ne le découvris que plus tard. Il me sourit et je quittai prudemment la sécurité de l'ombre pour entrer dans la lumière éclatante. Dos à lui, je dépliai ensuite ma couverture et m'y assis en tirant ma jupe par-dessus mes jambes, les bras serrés autour de mes mollets. Au bout d'un moment, il s'installa sur l'herbe à côté. Il se tourna alors vers moi et me tendit la paille. J'hésitai, mais il m'encouragea d'un hochement de tête et, avec un sourire, approcha sa main jusqu'à ce qu'il me devienne impossible de refuser son cadeau. Nous n'échangeâmes pas un mot tandis que je dégarnissais le brin de fléole, fraise par fraise. Mais pour chaque fruit que je déposais dans ma bouche, je lui en donnais un.

À compter de ce jour, le désir de retrouver la sécurité de mon endroit secret se mua en désir de le voir. Ou peut-être que l'endroit et le garçon se confondirent dans mon esprit.

Il s'appelait Lars. Il avait dix-sept ans, un de plus que moi. Du village voisin, il devait parcourir une plus longue distance, or tant que la moisson battait son plein, il disposait de peu de temps libre. Rien ne m'assurait jamais qu'il serait là quand j'arriverais. Je pris l'habitude de m'arrêter en chemin devant un grand bloc de granit cerné par les arbres. J'inspirais alors une grande bouffée d'air, je serrais les poings, le pouce à l'intérieur, puis je fermais les yeux et je murmurais : « Pitié, pitié, pitié, qu'il soit là aujourd'hui. » Je reprenais ensuite ma marche. Si jamais il n'était pas là, j'avais l'impression que c'était parce que j'avais fait quelque chose de mal. Il me semblait que, d'une certaine manière, je devais mériter sa présence. L'endroit seul ne me suffisait plus.

Un jour, en arrivant, je le trouvai assis dans l'herbe, les mains incurvées autour d'une chose qu'elles masquaient en grande partie. Lorsque je m'approchai, j'entendis un son presque inaudible s'en échapper. Je m'assis près de lui et il écarta un peu ses paumes pour me laisser glisser un regard à l'intérieur. Je ne distinguai d'abord qu'une masse grise cotonneuse.

— C'est un petit hibou, m'expliqua-t-il. Je l'ai trouvé ici, sur l'herbe. Il a dû tomber du nid.

Il leva les yeux pour scruter l'épaisse muraille d'arbres sombres.

— Il ne devrait pas battre la campagne en plein jour, remarqua-t-il en coulant un nouveau regard entre ses mains. Un renard pourrait lui tomber dessus. Ou un faucon.

En silence, nous observâmes l'oisillon entre ses paumes, nos têtes si proches l'une de l'autre que nos cheveux se touchaient.

— Je crois qu'il n'est pas blessé, observa-t-il en caressant d'un doigt tendre la tête duveteuse. Juste mort de frousse.

Il souffla doucement entre ses mains.

— Je pourrais le déposer à l'ombre d'un arbre. Qui sait? Il survivra peut-être jusqu'à la nuit et sa mère le retrouvera.

— Tue-le.

Je serrai mes bras autour de mes tibias, le front collé à mes genoux, les paupières closes.

— Tue-le tout de suite, répétai-je.

Je savais qu'il me dévisageait, mais je gardai les yeux fermés.

— Sa mère ne le retrouvera jamais. Tue-le.

Des larmes battaient derrière mes paupières et j'avais toutes les peines du monde à les empêcher de percer dans ma voix.

— Tue-le pour moi.

Au bout d'un interminable moment, je l'entendis se lever et fouler l'herbe. J'attendis alors qu'un bruissement de feuilles m'indique qu'il traversait le bouclier d'arbres pour donner libre cours à mes larmes. Recroquevillée sur moi-même, je pressai mes genoux contre ma poitrine, livrant mon dos aux chauds rayons du soleil. Mes pleurs trempèrent le coton imprimé de ma robe. Son absence me parut sans fin et, pendant tout ce temps, je luttai pour contrôler mes sanglots. Quand il revint enfin, il avait les mains vides. Je pleurai encore quand il s'assit près de moi et passa son bras autour de mon épaule. Il ne prononça pas un mot. L'air était immobile, le soleil haut dans le ciel. Nous étions seuls au monde. Je sentais la chaleur de sa peau contre mon cou, sa main serrée sur mon épaule. Dans l'herbe devant nous, nos pieds s'alignaient : les siens forts et brunis ; les miens fins et blancs.

Le changement fait partie de la nature des choses. Rien ne dure au-delà du temps qui lui est imparti. Or je crois que nous possédons une connaissance instinctive de ce temps. Comment savons-nous que l'été tourne ? Par une infime variation de lumière ? Une imperceptible note de fraîcheur dans l'air matinal ? Un certain frémissement des feuilles de bouleau ? C'est ainsi. Tout à coup, au beau milieu de la chaleur estivale, le cœur se serre. Ce pincement, c'est la conscience que la fin n'est pas loin. Et il donne une intensité nouvelle à tout : aux couleurs, aux odeurs, à la caresse du soleil sur la peau.

Ce jour-là, tandis que le soleil tapait sur nos dos côte à côte, tout respirait encore l'été autour de nous. Pourtant tout venait de changer.

Nous nous étendîmes l'un près de l'autre, main dans la main, les yeux perdus dans le ciel bleu. Il avait cueilli pour moi les dernières fraises, blettes et sucrées, dont le goût me restait dans la bouche. Il se tourna vers moi, appuya sa tête contre mon épaule. Puis il chuchota mon nom et sa voix emplit l'univers. Il posa sa main sur ma joue. Ses doigts sentaient les fraises sauvages. Je l'attirai à moi et, prenant son visage entre mes paumes, plongeai dans ses yeux avant de l'embrasser sur la bouche. J'avais l'impression que tous mes sens étaient aiguisés, comme si mes larmes m'avaient lavée et que, pour la première fois, la beauté du monde s'offrait à mes yeux : le ciel infini au-dessus, l'herbe scintillante au-dessous, les arbres sombres qui montaient la garde tout autour. Et je vis chaque secret de son jeune corps : son torse d'un blanc laiteux, ses bras brûlés par le soleil, le duvet de son cou. Quand il déboutonna mon corsage et parcourut mes seins de ses lèvres, je sus que je participais de la beauté. Que j'étais belle. En vie.

Je sus aussi avec certitude que cela ne durerait pas.

Les semaines suivantes, je revins presque tous les jours en m'arrêtant chaque fois devant le bloc de granit, poings serrés. Mais je ne l'y trouvai jamais. Malgré tout, je m'obstinai une grande partie de l'automne. Je me souviens en particulier d'un jour de septembre où, assise sur l'herbe sèche, les bras autour de mes jambes, comme à mon habitude, je contemplais les arbres au bout de la clairière quand j'aperçus un mouvement, léger et silencieux, du coin de l'œil. Lorsque je tournai la tête, il me sembla voir une forme grise fendre l'air et disparaître dans l'obscurité des arbres. Alors je songeai à l'oisillon duveteux tendrement niché dans ses poignes de paysan et je sus qu'il lui avait trouvé un lieu sûr.

Ce ne fut que plus tard que j'appris l'accident. Il était tombé du fenil pendant la moisson. Il était mort sur le coup.

Au printemps suivant, je retournai à la clairière chercher les fraisiers. Je savais qu'ils survivraient, en dépit de ce que tout le monde racontait.

Il y a plus de soixante ans de cela et mes plants sont toujours en vie. J'ignore si la clairière existe encore ou si l'on y trouve encore des fraises sauvages. Il se peut très bien que la végétation l'ait envahie, que la forêt l'ait reprise. Mon carré est peut-être le seul endroit où poussent encore ces fraises sauvages.

Je regrette aujourd'hui de ne pas m'être accrochée aux souvenirs de cet été. Qui sait si les choses ne se seraient pas passées autrement, alors? Mais voilà, j'ai laissé ce qui l'a précédé et ce qui lui a succédé l'éclipser. J'aurais dû entretenir sa mémoire, comme j'ai entretenu mes fraisiers. Lui permettre de donner de nouvelles pousses, de nouveaux fruits. Mais peut-être ne font-ils qu'un, les fraisiers et les souvenirs de cet été. Enfin déterrés.

# 11

*Le cœur doit se nourrir des rêves,*
*sinon c'est un cœur miséreux.*

La musique s'était tue et, lorsque Astrid termina son récit, la pièce tomba dans le silence. Veronika souffla la bougie, et elles se retrouvèrent enveloppées d'une lumière nébuleuse qui n'appartenait ni au jour ni à la nuit.

— Le temps, c'est une chose qui m'échappe, dit Veronika. Je n'ai jamais saisi son essence. Les souvenirs émergent sans ordre particulier, sans référence temporelle. Hier peut me paraître aussi lointain que l'an dernier.

Astrid ne répondit pas. Elle saisit son verre et, après en avoir bu une gorgée, considéra la jeune femme.

— Certains de mes souvenirs les plus nets portent sur les moments les plus fugaces, expliqua celle-ci. Des années entières de ma vie n'ont laissé aucune trace alors que certaines minutes sont tellement ancrées dans mon esprit que je les revis chaque jour.

— Oui, convint d'une voix lente la vieille femme. Je crois que c'est ce que j'ai dit, l'autre jour, au bord de la rivière. Je me souviens, quand j'ai regardé ces nouvelles constructions, elles me sont apparues comme des champignons sortis de terre du jour au lendemain. Les champs de lin d'il y a soixante ans me semblaient plus réels.

Elle absorba une petite quantité de liqueur et serra les lèvres, conservant la boisson un instant dans sa bouche avant de déglutir.

— Vous parler de cet été m'a permis de le retrouver.

Elle s'inclina légèrement en avant, les mains sur la table.

— Il n'était pas perdu, voyez-vous, je refusais simplement d'écouter. Maintenant…

Sa voix se voila.

Veronika changea de position sur sa chaise, puis elle reposa son verre et, s'accoudant sur la table, appuya son menton sur ses mains jointes.

— Ma vie ne se compose plus que de fragments, dit-elle. Des fragments d'une intensité parfois si aveuglante qu'ils m'empêchent de distinguer le reste. Que suis-je supposée faire de ces éclats étincelants ? Il n'existe pas de structure, je n'arrive pas à les assembler, que ce soit les uns avec les autres ou avec l'unité que devrait former ma vie. J'ai l'impression que mon existence a été soufflée, que mon univers est devenu incompréhensible. Qu'il n'en reste que des éclats et des particules que je traîne partout avec moi. Des débris encore coupants qui me blessent lorsque j'y touche. Et lourds, si lourds à porter. Je sais qu'il y en a d'autres, des fragments moins intenses dont j'ai besoin pour reconstituer l'ensemble. Je veux me souvenir de tout. Mais sans doute dois-je faire preuve de patience, m'accorder du repos, prendre un peu de recul, voir si j'arrive à distinguer une structure. Et affronter la vérité.

Le visage d'Astrid formait un masque blanc entouré d'une auréole de cheveux ; celui de Veronika, un large triangle avec, à la place des yeux, deux trous sombres sans le moindre reflet de lumière. Dehors, les arbres bruissèrent dans les premiers frémissements de la brise matinale.

— Quand j'ai rencontré James, c'était comme si une nouvelle ère commençait, comme si tout ce qui constituait ma vie jusque-là s'achevait brutalement, raconta Veronika en scrutant la nuit. Et tout ce que j'avais connu auparavant a disparu. Je me suis retrouvée propulsée dans un monde aux couleurs plus vives, aux sons plus nets, aux goûts et aux odeurs plus intenses. Et, pendant un temps, j'ai cru que ce monde était le mien.

# 12

*Non, ni toi, ni moi, désormais un seul et unique*
*Cette nuit, demain et dans un millier d'années.*

## Veronika

Avec le recul, il me semble qu'il en fut ainsi depuis le début. C'est impossible, bien sûr, ma mémoire me joue encore des tours. Mais quand il me sourit par-dessus le bar et fit glisser une bière vers moi, la terre trembla un peu. Jusque-là, je menais une vie sans risques. J'habitais un monde lent et gentiment indifférent qui me donnait le temps de peser mes actes. Un monde dont je possédais la carte. Dans celui de James, j'étais à jamais perdue.

Nous nous rencontrâmes à Londres, dans le pub de Hampstead où il travaillait. Je m'y étais rendue avec Susanna, la propriétaire danoise de la galerie qui m'employait, et trois de ses amis : une jeune critique d'art *free-lance*, son compagnon, consultant en informatique, et Brent, l'un des artistes que Susanna exposait. Je ne connaissais que ma patronne, mais les autres paraissaient plutôt sympathiques. Tous les quatre entretenaient de bons rapports, et peut-être me sentais-je un peu exclue. Toujours est-il que, lorsque vint mon tour de payer ma tournée, je ne fus pas fâchée d'avoir une excuse pour quitter la table.

J'attendais nos boissons au bar quand le client d'à côté, un homme en complet rayé un brin éméché, m'accosta. Mais avant même que j'aie le temps de prendre conscience qu'il m'importunait, le barman se pencha sur le comptoir et posa sa main sur son bras.

— Hé, c'est ma petite amie, alors tu la laisses tranquille, d'accord?

Contre toute attente, l'homme obtempéra. Et ce fut ainsi que je rencontrai James.

Je m'assis sur l'un des tabourets devant le bar, bus une petite gorgée de mon verre et le remerciai. Il me demanda alors d'où je venais.

— De Suède, répondis-je.

Il sourit.

— Ah, aux antipodes de chez moi. Je viens de Nouvelle-Zélande. D'Auckland, en Nouvelle-Zélande.

Ses douces voyelles caressaient les mots. Sous ses cheveux bouclés blond-roux et ses yeux gris, son sourire m'emportait vers des contrées inconnues.

— Je suis trop vieux pour ça, dit-il.

— Pour quoi?

— Me forger une expérience à l'étranger, comme tout jeune Néo-Zélandais qui se respecte. J'ai trente et un ans, ce devrait être fait depuis dix ans.

Il rit, rejetant un peu sa tête en arrière, puis se pencha sur le bar pour me prendre les mains. Alors il se mit à me parler de lui, ou plus exactement de sa vie. L'homme qu'il était, c'était à moi de le découvrir.

Mes amis me revinrent soudain à l'esprit et je me levai pour rassembler les verres qui attendaient sur le bar. J'allais tourner les talons quand, posant sa main sur mon bras, il me demanda si je voulais bien attendre la fin de son service.

— D'habitude, je vais me promener dans le Heath après le boulot, m'expliqua-t-il en souriant. C'est ce qui se rapproche le plus de la nature, ici.

Après avoir accepté, je regagnai notre table.

Il s'écoula environ une heure avant le départ de mes amis. Au moment de franchir la porte, Susanna pivota sur elle-même pour m'adresser un sourire et un petit signe de la main. Les clients désertèrent petit à petit le pub et, peu après minuit, il quitta son poste derrière le bar.

Après une journée chaude et moite, alourdie par l'air nauséabond qui stagne dans les grandes villes peu habituées aux températures élevées, la nuit chaude nous enveloppa comme une eau tiède veloutée tandis que nous nous dirigions vers le parc.

Il était arrivé à Londres environ deux ou trois mois plus tôt, après être passé par l'Asie du Sud-Est, le Moyen-Orient, la Grèce et l'Italie. Il travaillait à présent pour financer son billet de retour pour Auckland. Océanographe biologiste sans débouché dans son domaine d'expertise, il avait quitté un emploi payé au lance-pierre dans un centre de pisciculture de Tasmanie pour venir en Europe. L'avenir s'annonçait incertain, mais il rentrait chez lui, en Nouvelle-Zélande. Je n'avais qu'une vague idée de cette contrée, le pays le plus reculé de la planète. Même si j'avais voyagé presque toute ma vie, je n'étais jamais allée là-bas. Quand il parlait de sa terre natale, sa voix prenait de l'intensité, de la chaleur.

Il s'appelait James McFarland.

Nous prîmes l'habitude de nous retrouver pour des promenades nocturnes dans le Heath, après son service. En quittant la galerie de Knightsbridge, je me rendais directement à Hampstead, où je passais la soirée à siroter une bière en le regardant travailler, à rire à la seule joie de le voir et de l'entendre. C'était comme si je n'avais jamais ri auparavant, comme si je n'avais jamais été heureuse. Aujourd'hui, il me semble avoir ri alors tout ce qu'il m'était donné de rire, mon quota.

Il avait promis à sa mère de rentrer pour Noël, je savais donc que le temps nous était compté. De mon côté, je ne nourrissais que de vagues projets. J'habitais à Londres depuis près d'un an et je ne songeais pas vraiment à l'avenir. Mon éditeur espérait un second roman, j'écrivais donc un peu tout en vivant de mon travail à la galerie. En plus d'être généreuse, Susanna n'avait jamais cherché à obtenir de ma part un engagement sur le long terme. Comme moi, elle semblait se satisfaire de prendre la vie au jour le jour. J'avais quitté l'appartement de Johan à Stockholm, n'y laissant que mes livres et mon chat. J'imagine que je m'étais plu à envisager la possibilité d'un retour, mais plus tard.

James gardait un appartement dont les propriétaires s'étaient absentés, au quatrième et dernier étage d'un immeuble situé juste en face du Heath. Il m'y emmena pour la première fois un dimanche après-midi pluvieux du mois d'octobre. Profitant de son jour de congé, nous avions acheté des *bagels* à la boulangerie juive de Golders Green. Alors que nous rentrions, le ciel s'ouvrit. Nous nous arrêtâmes au Spaniards Inn pour boire une bière dans l'espoir de voir la pluie se calmer.

Je ne crois pas avoir bonne mémoire, de manière générale. Ce qui est sûr, c'est que ma mère me disait souvent que ma mémoire n'était pas fiable, que je ne me souvenais de rien correctement. Chaque jour de ces premières semaines, de ces mois, même, occupe pourtant une place bien à lui dans mon esprit. Je peux le ressortir et le contempler à l'envi, ses couleurs sont toujours aussi éclatantes, sa résolution toujours aussi nette. Je me souviens parfaitement de son expression de l'autre côté de la table, de ses mains sur sa pinte de bière, de mes pieds teintés de noir bleuté quand je retirai mes chaussures à l'appartement, de la peau de ses bras contre mon visage quand il me sécha les cheveux avec une serviette de toilette. Nous fîmes l'amour sur le lit à une place de la petite chambre qu'il occupait. Doucement, sans les démonstrations passionnées que l'on attendrait d'un tel amour. Tendrement, avec les yeux ouverts. Comme si le moment mêlait passé, présent et avenir, et que nous ne pouvions nous permettre d'en perdre une miette.

Il me couvrit ensuite de son peignoir rouge qui tombait en loques et me conduisit par la main jusqu'à la cuisine. Alors, pour la première fois, je le regardai à l'œuvre aux fourneaux. Ses mains en train de casser les œufs d'un geste expert, de hacher la ciboule, de trancher les tomates. Je pourrais en parler, de ses mains, passer du temps sur chaque doigt. Des mains si belles. Des mains qui me donneraient tant de plaisir. Des mains qui manipulaient la nourriture avec un amour si profond et si instinctif. Par la suite, je les verrais se poser sur d'autres personnes chères, sur des animaux, sur le volant de sa voiture. Mais je me souviens surtout de ses mains sur mon corps, de leurs caresses.

Je savais qu'il allait partir, il m'avait prévenue dès le début. Cependant, nous évitions le sujet. Nous ne parlions de rien d'extérieur au monde qui nous abritait tous les deux, à l'ici et au maintenant. Nous passions tout notre temps libre ensemble, au cinéma, au musée, dans les galeries d'art. Nous arpentions les parcs, où les arbres et les pelouses perdaient la vie à l'approche de l'hiver. Nous mangions parfois dans de petits restaurants, souvent chez lui. Nous faisions l'amour. Le monde continuait à tourner sans nous.

Et puis l'inévitable arriva.

— J'ai réservé mon billet, dit-il un jour que nous partions pour notre traditionnelle promenade dans le Heath.

Bien que la chaleur eût déserté Londres, nous restions fidèles à notre rituel. Le bras autour de mes épaules, il regardait droit devant lui et ne se tourna pas vers moi. J'essayai de suivre son rythme, laissant mon corps s'alimenter de son énergie, à moitié portée.

— Mon vol est dans trois semaines.

Trois semaines. C'était comme si l'on m'annonçait le temps qu'il me restait à vivre. Soudain, le moindre détail s'imposa à moi dans toute sa clarté et toute son importance.

Il s'immobilisa et me fit pivoter vers lui, les mains serrées autour de mes épaules.

— Je t'aime, Veronika.

Il se pencha ensuite vers moi et m'embrassa, de loin, sans m'attirer contre lui. Je fermai les yeux. Quand je les rouvris, mon regard tomba sur deux jeunes filles qui gloussaient comme des folles à quelques mètres. Curieusement, leur expression sanctionnait ses mots.

Ce soir-là, nous nous assîmes en tailleur devant le radiateur à gaz, côte à côte dans le salon obscur. Il se tourna vers moi et, s'agenouillant, me hissa dans la même position. Nous nous faisions face, rotules contre rotules.

— Viens avec moi, me demanda-t-il, ses mains autour des miennes. Je ne sais plus vivre sans toi. Je ne sais pas comment je faisais, je ne m'en souviens pas. S'il te plaît, viens avec moi, Veronika.

J'observai son visage, j'en scrutai chaque infime détail, j'emmagasinai les images : la peau claire tendue sur son front, les cheveux blond-roux dressés selon un motif compliqué de follicules, la petite cicatrice sur sa lèvre supérieure, l'incisive ébréchée. La lèvre et la dent portaient-elles les marques du même accident ? J'en savais si peu. Et ce que je savais, je le considérais déjà comme de l'histoire ancienne. J'observais, j'enregistrais, j'archivais. Je tentai d'imaginer l'effet de l'âge sur lui, son apparence de vieillard.

Il se détourna et s'allongea sur le dos, les bras croisés sous sa tête. Je contemplai son profil, j'en mémorisai chaque ligne.

— Après l'amour, je reste éveillé dans le lit pour t'observer, dit-il. J'ai peur que, si je ferme les yeux, tu repousses les couvertures sans bruit et files en douce. Que tu files comme une biche dans la nuit.

Il tendit la main pour m'attirer contre lui. Nous restâmes ainsi, immobiles. Les paupières fermées, je m'emplis la tête de son odeur. De la rue montait le ronflement des voitures, dont les feux peignaient des motifs évanescents sur le plafond. Le radiateur à gaz siffla.

Il partit un samedi matin. D'un commun accord, nous avions décidé qu'il valait mieux que je ne l'accompagne pas à l'aéroport. Nous bûmes notre café face à face. Dehors, il faisait encore nuit.

— J'ai quelque chose pour toi, Veronika, dit-il en faisant glisser un petit paquet sur la table. Je veux que tu l'ouvres quand je serai parti. Et je veux que tu t'en serves souvent.

Je pris son cadeau entre mes deux mains, retenant difficilement mes larmes.

— Je n'ai rien pour toi, James.

— Tu n'as qu'à m'offrir un sourire.

De tous les présents, ce fut celui qui me coûta le plus.

# 13

*Ne crains pas les ténèbres
car en elles demeure la lumière.*

Le chant hésitant d'un merle s'éleva dans le silence. Astrid se hissa sur ses pieds en s'appuyant lourdement sur la table, avec des mouvements maladroits de rhumatisant. Puis elle repoussa sa chaise, prenant le temps nécessaire pour que l'opération se déroule sans heurt ni bruit. Après quoi, elle fit le tour de la table et se pencha en avant pour saisir le visage de Veronika entre ses mains. Elle contempla la jeune femme avec un regard profond, ses paumes sur ses joues.

— L'amour, murmura-t-elle. Souvenez-vous toujours de votre amour.

Puis elle laissa retomber ses mains et s'éloigna à pas silencieux. Veronika tourna la tête pour suivre des yeux sa lente progression en direction du vestibule, détaillant sa silhouette : les pieds dans les chaussettes trop grandes, la chemise froissée dans le dos, les cheveux fins à l'arrière du crâne. Ses poings se desserrèrent et ses mains échouèrent sur ses genoux tandis qu'elle inspirait profondément, comme si elle avait retenu son souffle pendant une éternité. Elle entendit la porte d'entrée s'ouvrir et se refermer. Quand elle regarda par la fenêtre, la vieille femme marchait à petits pas sur l'herbe, se fondant peu à peu dans la brume persistante. Alors elle plaqua ses mains sur son visage et pleura.

L'été arriva sans prévenir, une semaine avant le solstice. Veronika fixa des moustiquaires aux fenêtres afin de pouvoir les garder ouvertes et ainsi créer une brise rafraîchissante dans la maison. En quelques jours, les bouleaux troquèrent leur mauve pour un vert timide, puis une riche luxuriance estivale. Les délicates campanules habillèrent les prairies d'une caresse frémissante de violet. Les merisiers à grappes fleurirent, chargeant l'air d'un parfum intense pendant une poignée de jours avant que leurs pétales tombent comme des flocons de neige. Lors de ses promenades le long de la rivière, Veronika voyait défiler des enfants à vélo, en route pour une baignade dans le lac, leurs peignoirs en éponge flottant au vent et de grandes chambres à air en travers des épaules. En cette fin d'année scolaire, l'été s'ouvrait à eux dans toute son infinitude. Elle n'avait pas vu Astrid depuis le dîner. Lorsqu'elle passait devant la maison, elle ne décelait aucune vie derrière la fenêtre entrebâillée de la cuisine.

Au village, les préparatifs des festivités de la Saint-Jean battaient leur plein, charriant dans leur sillage une atmosphère d'attente enthousiaste. L'espace vert au bord de la rivière derrière l'église luthérienne avait été tondu et des stands érigés à sa lisière. Devant le magasin, on s'attardait pour discuter avec le sourire, le visage tourné vers le soleil.

Deux jours avant la veillée de la Saint-Jean, Veronika alla frapper à la porte d'Astrid. L'après-midi touchait à sa fin et, si le soleil brillait encore haut dans le ciel, un engourdissement paresseux envahissait l'atmosphère. Les oiseaux et les insectes semblaient se reposer. Elle cogna une fois et attendit, puis recommença. Aucun son ne s'élevait de l'intérieur. Quand elle tenta d'actionner la poignée, la porte s'ouvrit devant elle. Elle patienta encore sur le seuil.

— Astrid?

Sa voix déchira l'obscurité de la maison, mais aucune réponse ne lui parvint. Laissant la porte ouverte, elle entra. À mesure que ses yeux s'habituaient à la pénombre, elle distingua le couloir devant elle. Toutes les portes étaient closes. Elle se tint immobile, les oreilles tendues, sans distinguer le moindre bruit. Elle s'approcha alors de la porte de la cuisine et dressa de nouveau l'oreille. Puis elle appuya sur la poignée.

La vieille femme était attablée devant une tasse qu'elle serrait entre ses mains. Le soleil filtrait à travers l'imprimé passé des rideaux tirés, inondant la pièce d'une lumière ocre fatiguée. Veronika crut entrer dans un rêve, une mise en scène surréaliste.

Les yeux rivés sur la fenêtre, Astrid ne semblait pas avoir remarqué sa visiteuse. Veronika s'avança jusqu'à la table et s'assit. Elle caressa la toile cirée craquelée de sa paume, attendit. Enfin, elle brisa le silence :

— Je suis désolée de m'introduire chez vous de cette façon, mais je m'inquiétais. Ça fait presque deux semaines que vous n'avez pas donné signe de vie. Rien que la fenêtre ouverte, le matin.

La vieille femme ne répondit pas.

— Vendredi, c'est la veillée de la Saint-Jean. J'espérais que vous descendriez avec moi au village pour voir dresser le mât fleuri.

Elle observa sa voisine tandis que ses paroles restaient suspendues dans l'air. Astrid demeurait muette, ses pupilles immobiles. Une mouche bourdonnait inexorablement sur l'appui de la fenêtre.

— Il est en train de mourir, dit-elle enfin.

Ses yeux s'animèrent pour se planter dans ceux de Veronika.

— Mon mari est en train de mourir.

Veronika lui rendit un regard rempli d'incompréhension.

— La maison de retraite a téléphoné.

Les doigts d'Astrid glissèrent sur le bord de sa tasse vide et ses yeux retrouvèrent la fenêtre.

— Ça fait si longtemps qu'il est en train de mourir. Si longtemps que j'attends. Mais ils disent que c'est imminent, maintenant.

Veronika se leva, mit de l'eau à bouillir et disposa deux tasses sur un plateau.

— Allons dehors, proposa-t-elle en effleurant le coude d'Astrid.

La vieille femme s'exécuta lentement, à l'évidence perdue dans ses pensées.

Avant de s'emparer du plateau, Veronika transporta le fauteuil pliant d'Astrid à l'arrière de la maison et le déploya près du mur, à l'ombre claire des pommiers. Elle emporta ensuite le plateau, Astrid sur ses talons.

Les fraisiers sauvages étaient en fleur, leurs pétales blancs semblables à des flocons de neige sur l'herbe. Veronika conduisit Astrid jusqu'au siège et s'assit sur l'herbe à côté d'elle. Un gros bourdon voletait au-dessus des fleurs, comme étourdi par tant d'abondance. Elle s'adossa au mur de bois chaud derrière elle. Astrid ne bougeait pas, les yeux fermés, les mains autour de sa tasse de café.

— Si longtemps que j'attends, dit-elle. Toute une vie.

# 14

*Jusqu'à ce que tu ne respires plus que haine.*

## Astrid

Cette mort, j'en rêve depuis le jour de mon mariage. Depuis soixante ans. Mais maintenant qu'elle arrive enfin, je comprends qu'elle n'a pas la moindre importance. Il n'avait rien à voir avec tout ceci. Ce qui, dans mon esprit, commença le jour de mes noces remonte en réalité bien plus loin. Mon mariage ne constitua qu'un tournant : ce fut le jour où je renonçai à la vie.

C'était un jour de juin, un jour que j'avais souhaité gris et froid, mais qui se révéla estival sous un ciel vide d'un bleu violent. Les cloches sonnaient une cérémonie grandiose. Le pasteur venait d'Uppsala, les fleurs de Stockholm. Du muguet, avec de grosses grappes cireuses au parfum écœurant. Je portais le costume traditionnel plutôt que la robe blanche réclamée par mon père. Ce fut l'unique décision qui m'appartint.

La veille au soir, assise dans ma chambre, j'ouvris la boîte qui renfermait la robe de mariée de ma mère. Je soulevai le couvercle et en sortis la robe avec délicatesse pour la presser contre moi. Puis je la portai à mon visage et, les yeux fermés, inhalai. Aucune odeur ne s'en dégageait ; la soie sèche avait beau froufrouter contre ma peau, elle n'avait rien à me confier. Je coiffai ensuite le voile et allai m'asseoir sur la chaise en face de mon miroir, nue, les épaules seulement couvertes par la dentelle. Je scrutai mon visage, son ovale pâle dont les iris bleus me renvoyaient mon regard fixe. Du bout de l'index, je traçai mes sourcils, l'arête de mon nez, mes lèvres. Je levai les mains, les observai, caressai la peau crémeuse à l'intérieur de mes bras. Je détachai ensuite mes tresses, peignai mes longs cheveux du bout des doigts, les laissai tomber sur mes épaules et ma poitrine. Mes yeux absorbèrent le moindre détail de mon anatomie : la teinte exacte de ma peau, les mamelons roses, les poils pubiens blonds. J'entourai mes seins de mes mains, caressai mon ventre plat, mes cuisses. De ce corps, je voulais tout retenir avant de le laisser périr.

Le matin, je revêtis mon costume : l'épaisse jupe de laine, le corsage de lin, le tablier, le châle, et enfin les bas de laine rouges et les chaussures à boucle de cuivre. Puis je descendis l'escalier dans ma lourde tenue et sortis sous le ciel d'été, plus glacée que jamais. On raconta par la suite que je m'étais mariée en habit d'enterrement, avec le tablier noir et sans bijou. C'est faux. Ce qui est vrai, c'est que je portais le costume traditionnel plutôt que la robe blanche de ma mère, mais même celui-ci ne suffit pas à me réchauffer.

Mon mari épousa une ferme. Il épousa la maison et la terre : les champs de seigle, de pommes de terre et de lin ; le verger et les prairies ; les forêts et le bois de construction. Il épousa un patronyme. Mon père, lui, crut assurer son avenir et celui de la ferme.

Moi, j'épousai la mort.

Tant de gens se pressaient dans l'église que certains durent rester debout dans le fond. Mon père donnait un grand dîner après la cérémonie et les invités venaient jusque de Stockholm. Beaucoup ne s'étaient déplacés que pour le spectacle. Je remontai l'allée centrale au bras de mon père, ma main transie sur sa manche. Après toutes ces années, je revois encore le visage du pasteur et ses yeux bruns quand ils croisèrent les miens. Il était vieux et corpulent. Il haletait et des gouttes de transpiration perlaient sur son front. Mais ses yeux, eux, respiraient la bonté. Alors, je rivai mes pupilles aux siennes et leur ordonnai de ne plus bouger. C'est tout ce dont je me souviens de la cérémonie.

Je regardai ensuite le dos de mon père et celui de mon mari tandis qu'ils signaient le registre, comme deux associés concluant une heureuse transaction.

J'avais dix-huit ans.

Je sortis au bras de mon époux sur le perron de l'église, où les invités nous jetèrent du riz. Je voyais leurs visages sourire, leurs lèvres remuer, mais je n'entendais rien.

Tout le monde se rendit ensuite à la maison pour la réception. Mon père avait fait débarrasser la grange. Les larges portes étaient ouvertes de chaque côté du bâtiment, leur encadrement orné de branches de bouleau. De longues tables avaient été dressées à l'intérieur, recouvertes de nappes blanches et parées de fleurs sauvages. À l'arrivée de notre calèche, un groupe de violonistes folkloriques engagé pour l'occasion exécuta les premiers accords de musique. Les invités se rassemblèrent, les verres circulèrent, les archets voltigèrent, mais, pour moi, tout tournoyait dans un tourbillon muet. Dans un silence de mort.

Alors que nous étions invités à nous attabler dans la grange pour le repas, mon père m'attrapa la main, qu'il souleva pour me faire pivoter légèrement devant lui. Ses yeux se promenèrent sur mon corps, puis il se pencha vers moi et m'effleura l'oreille des lèvres. Il ne prononça pas un mot, mais un relent d'eau-de-vie m'enveloppa. Il relâcha ensuite ma main brusquement et disparut dans la grange.

J'eus beau rester assise à la table des mariés toute la soirée, je n'entendis aucun des discours, ni ne sentis le goût d'aucun plat. Le temps avait cessé d'exister. Lorsque, après le dîner, mon mari se leva et indiqua la piste de danse d'un geste de la main, l'idée me parut si incroyable que j'en ris. Alors il prit mon cadavre dans ses bras et nous balada maladroitement sur la piste face à un mur de visages transpirants.

Dès que les invités se joignirent à la danse, il relâcha son étreinte autour de ma taille, tourna les talons et abandonna la piste. Je demeurai plantée un moment au milieu de la nuée d'invités qui gravitait autour de moi. Quand, enfin, je quittai la grange, la masse tourbillonnante sembla s'ouvrir sur mon passage.

Dehors, le jour blanc avait abdiqué face à la nuit blanche. Aucune étoile ne perçait dans le ciel pâle. Des rires me parvenaient de derrière les lilas, les éclats gutturaux d'un homme mêlés aux grelots carillonnants d'une femme. Je contournai la maison et allai m'asseoir dans l'herbe près de mon carré de fraisiers, où je me couvris le visage de mon tablier. Mais mes yeux étaient secs.

Je montai ensuite me coucher dans la chambre principale. Mon père avait déménagé dans la plus petite, à l'autre bout du palier, et avait ordonné à la bonne de préparer le grand lit pour les jeunes mariés. Aucun changement n'y avait été apporté depuis le temps où ma mère avait reposé dans ce lit, et j'eus l'impression que mon corps épousait les contours que le sien y avait laissés. Je m'allongeai sur le dos, les mains jointes sur la poitrine au-dessus des draps de lin blanc. Je fis tourner le simple anneau d'or de mon alliance autour de mon doigt, les pupilles sur la fenêtre. Les merisiers à grappes étaient constellés de fleurs, dont les pétales tombaient comme de la neige dans la brise légère. Dans le jardin, des invités riaient.

Le soleil flottait au-dessus de l'horizon quand ses pas résonnèrent dans l'escalier. Il ouvrit la porte gauchement, puis je l'entendis se déshabiller et laisser tomber ses chaussures sur le sol. Je demeurai immobile, paupières fermées. J'étouffais dans cette pièce qui se chargeait de son souffle et de son odeur. Lorsqu'il s'effondra sur le lit, son corps chaud près du mien, je me tassai un peu plus dans les replis du matelas.

C'était un homme si insignifiant. La première fois que je l'avais vu, il se tenait près de mon père, pâle copie. Plus menu, plus jeune, et pourtant étrangement similaire. Il était court sur pattes et déjà dégarni à vingt-cinq ans. Ses yeux, sans expression, regardaient le monde à travers d'épais verres.

Les paupières closes, il s'étendit à mon côté dans l'étrange zone d'incertitude de la nuit de juin. Il roula ensuite sur moi, enfonçant mon corps glacé plus profondément dans le matelas. Ses mains étaient sur ma peau, son haleine dans mon oreille, et mes yeux sur le plafond, rivés à une crevasse qui déchirait l'étendue blanche d'un coin à l'autre. Mon corps reposait dans celui de ma mère.

Lorsque le soleil éclaira l'arbre derrière la fenêtre, je sortis du lit, forcée pour cela d'escalader son corps endormi. Il était couché sur le dos, le visage vide, les paupières fermées, la bouche entrouverte. Un filet de salive dégoulinait sur son menton. Je me postai à la fenêtre et regardai dehors sans rien voir. J'entendis alors sa voix derrière moi. Un murmure rauque.

— C'est tout à moi maintenant, tu sais. Tout ce que tu vois par cette fenêtre. À moi.

Il s'éclaircit la gorge bruyamment, toussant des glaires. Je me retournai vers lui.

— Rien ici ne t'appartient, lui dis-je. Rien.

Depuis, j'attends.

# 15

*Il adviendra, cet instant,*
*Cette minute glaciale...*

— Maintenant que l'heure est proche, j'ai peur.

Astrid se pencha, les bras croisés sur sa poitrine, les yeux fixés sur l'herbe à ses pieds.

— J'ai si peur.

Veronika regarda le bourdon poursuivre son inspection solitaire des fleurs de fraisier.

— Si vous voulez, je peux vous y conduire en voiture, proposa-t-elle.

Astrid se tourna vers elle et la considéra en silence.

— Je viendrai avec vous, ajouta-t-elle. Laissez-moi téléphoner à la maison de retraite.

Elle avait étendu ses jambes devant elle et se tenait inclinée en arrière, les coudes dans l'herbe.

— Ce n'est pas de lui que j'ai peur, observa Astrid. C'est de moi.

Le silence retomba autour d'elles. La vieille femme s'adossa à son fauteuil, le visage tourné vers le soleil, les paupières fermées. Lorsqu'elle reprit la parole, ce fut avec une élocution lente, comme si elle allait puiser les mots au plus profond d'elle-même.

— Si longtemps que j'attends. J'ai laissé la vie s'enfuir pendant que je couvais ma haine entre ces murs. J'ai fait de cette maison ma prison. Je me disais que j'étais en sécurité, ici. Je me disais que je devais attendre qu'elle me revienne. Je me suis enchaînée à cette maison. Aujourd'hui, je me rends compte que, pendant toutes ces années où j'attendais d'être délivrée, les seuls fers qui me retenaient étaient ceux que je m'étais moi-même passés.

Elle considéra Veronika avec des yeux remplis d'une telle douleur que la jeune femme dut détourner le regard.

— Maintenant que l'heure est proche, je dois regarder la vérité en face.

Sans un mot, Veronika posa sa main sur son bras. La vieille femme contemplait l'horizon. Elle plissa les yeux, comme si elle essayait de distinguer un point au loin.

— Je sais maintenant que ça n'a pas commencé avec mon mari. C'était déjà en moi quand je l'ai épousé.

Elle garda un instant le silence, la tête appuyée contre son dossier.

— C'est ici que tout a commencé. Entre ces murs.

# 16

*Le jeune roi Lis des Vallées,*
*Lis des Vallées blanc comme neige,*
*il pleure sa damoiselle,*
*sa princesse Lis des Vallées.*

## Astrid

D'aussi loin que je me souvienne, jamais mon père ne me toucha. Ni dans un élan de tendresse, ni dans un coup de colère. Il s'absentait pour de longues périodes et je devais alors me satisfaire, pour toute compagnie, d'un défilé de jeunes filles embauchées pour tenir la maison. Lorsqu'il était là, il sortait rarement de son bureau. Il ne me parlait guère et, s'il le faisait, c'était au moyen de phrases laconiques. Il m'adressait alors des instructions pratiques, jamais une parole personnelle. Pas une seule fois je ne l'entendis évoquer ma mère, et l'instinct me gardait de le faire.

Je crois que je n'ai jamais vu mon père tel qu'il était vraiment. L'homme. La personne. Je suppose que les enfants ne portent jamais sur leurs parents le regard qu'ils portent sur les autres. Ce ne fut que plus tard, par le biais de photographies, que je sus à quoi il ressemblait. Il était très blond, avec un visage ovale parfaitement symétrique, une bouche molle, un nez droit. Mais rien ne frappait plus chez lui que ses yeux, d'un bleu très clair, pareils à de la glace et presque translucides, comme s'ils étaient illuminés de l'intérieur. Ce visage aurait été beau chez une femme ; chez un homme, il était troublant. Trop beau. J'ai souvent entendu dire que je tenais de mon père, mais jamais je ne vis la ressemblance. Jamais je ne me suis trouvée belle, pas même quand je l'étais peut-être.

Sa taille était modeste, son apparence frêle. Ses mains, très blanches, avec de longs doigts. Des mains de penseur plutôt que de fermier. Ses parents l'avaient envoyé à l'université, à Uppsala, mais je ne crois pas qu'il en était revenu diplômé. À cette époque, personne au village n'avait jamais suivi d'études supérieures et, en cela, il sortait du lot. Mais quand mon grand-père tomba malade, il dut rentrer pour prendre les rênes de la ferme.

Il avait rencontré ma mère à l'université, je crois. J'ai longtemps essayé d'imaginer ce qui avait rapproché cet homme frêle et faible de la grande et superbe femme riante qu'était ma mère. Cela m'est impossible à comprendre. De la même façon qu'il nous est impossible de considérer d'un œil objectif le physique de nos parents, je crois que nous sommes bien incapables d'imaginer leur vie ensemble. La seule chose que je sais, c'est que tout ce que ma mère renfermait de beau dépérit ici. J'aurais bien du mal à me figurer la réaction de mon père à sa mort, je ne me rappelle que ma solitude, mon chagrin. Dans mon souvenir, je suis seule à la fenêtre lorsqu'elle quitte la maison. Où était mon père ?

Jusqu'à la fin de sa vie, il porta son alliance, ainsi qu'une chevalière en or au petit doigt de l'autre main. Tous les soirs, il s'asseyait dans le fauteuil de son bureau pour boire de l'eau-de-vie et tapotait son verre de l'auriculaire, faisant tinter sa chevalière.

Je crois que cela aurait été plus facile si c'était survenu de façon régulière, car, après cette première fois, je vécus dans une terreur permanente, attentive au moindre son, au moindre mouvement dans la maison. Ce n'était que lorsque je le savais loin que je respirais librement.

C'était l'année de mes treize ans, au début de l'été. L'école venait de fermer ses portes et, dans ma chambre, j'arrangeais du muguet fraîchement cueilli dans deux petits vases : l'un pour mon bureau, l'autre pour ma table de nuit. Ce fut comme si je sentis le son avant de l'entendre, comme si je fus alertée par une brise froide annonciatrice. Mon père m'appela. Ce mot unique traversa la maison silencieuse comme une boule de foudre fulgurante. Mon père me parlait peu et ne prononçait jamais mon prénom. Pourtant je ne me trompais pas.

— Astrid !

Bien que peu sonore, sa voix produisit un son assourdissant qui s'engouffra dans l'escalier et déboula dans ma chambre. Les fleurs me glissèrent des doigts et s'éparpillèrent sur le bureau. Le monde dans lequel les fillettes comme moi cueillent du muguet disparut en un éclair. Je pénétrai sur un nouveau territoire, un territoire où il n'y avait plus que mon père et moi.

Lorsque je descendis, je le trouvai dans son bureau. Il avait tiré les rideaux et était assis dans son fauteuil, un verre à la main. Je me figeai sur le seuil, raide, les bras pressés contre mes flancs, mes mains serrées en deux poings durs. D'un hochement de tête, il me fit signe d'entrer. Je me plaçai alors devant lui et le regardai me dévisager. Ses yeux pâles brillaient, ils flamboyaient comme un brasier dans la faible lumière. Ils demeurèrent rivés sur mon corps, sans expression, lorsqu'il ouvrit la bouche pour m'ordonner de me déshabiller.

Tandis que mes doigts engourdis se débattaient avec les boutons et les boucles, ses yeux continuaient de me scruter sans ciller. Quand je fus nue devant lui, ils se promenèrent lentement sur moi. Il n'y avait aucun bruit. Tout était silence dans ce nouveau monde. Au bout d'une éternité, il me commanda d'un geste de me retourner. J'obtempérai, braquant mes pupilles sur une bûche à moitié brûlée dans la cheminée. Je distinguai alors un son, un seul : le frottement de la laine contre la laine, son bras contre son pantalon. Les minutes s'écoulèrent. Ma jeunesse s'enfuit.

Ce ne fut que lorsque j'entendis ses pas sur le plancher et le cliquetis de la porte que je me retournai. Lorsque je me baissai pour ramasser mes vêtements, il me sembla que jamais plus je ne pourrais me mouvoir naturellement. Les pieds ankylosés, les jambes raides, je gravis tant bien que mal les marches de l'escalier et traversai à pas lents le palier, mon ballot de vêtements comme un cadavre entre mes bras. Je m'enfermai ensuite dans la salle de bains, où je remplis le lavabo d'eau froide pour me frictionner des pieds à la tête avec un carré de tissu éponge, jusqu'à ce que ma peau me brûle. Ce ne fut qu'après que je pleurai. Je m'assis à même le sol, le linge sur mon visage, et pleurai jusqu'à n'avoir plus de larmes.

Lorsque, plus tard, je me couchai dans mon lit, ma chambre sentait encore le muguet. Alors que je reposais parfaitement immobile sur le dos, les bras croisés sur la poitrine, je me vis de très loin, comme si j'observais ma chambre d'en haut. Je discernai le moindre détail de la scène : mes cheveux encore soigneusement tressés, le motif du dessus de lit, le bureau blanc où gisaient les fleurs dispersées. J'aurais voulu revenir en arrière. J'aurais voulu ramener la petite fille couchée dans le lit dans le monde d'avant. Mais je ne le pouvais pas. Je n'avais d'autre choix que de l'abandonner là.

# 17

*Il n'est ici que l'absence, assise,*
*d'une personne partie depuis longtemps,*
*légèrement appuyée sur les accoudoirs,*
*enveloppée de nuit.*

Le poing brandi dans l'air, Veronika s'apprêtait à frapper lorsque Astrid ouvrit la porte. À croire que la vieille femme la guettait juste derrière. Elle n'avait déployé aucun effort pour soigner sa mise et portait son éternel pantalon de velours trop grand sous sa chemise de flanelle à carreaux, dont elle avait retroussé les manches.

Lorsque leurs regards finirent par se croiser, par-dessus le toit de la voiture, elle fixa Veronika avec des yeux écarquillés et sans défense où se lisait la terreur. Des yeux d'enfant, sans dissimulation. Il était neuf heures passées de quelques minutes lorsqu'elles partirent, soulevant dans leur sillage un nuage de poussière sur le chemin de terre. Astrid serrait ses mains entre ses genoux, le dos voûté, les yeux fixés devant elle.

Elles roulèrent en silence, dans une circulation rendue plus dense par l'approche du long week-end de la Saint-Jean. Veronika alluma la radio et la régla sur la station locale, qui passait de la musique d'été. Le sifflement de l'air s'engouffrant par la vitre entrouverte faisait concurrence aux notes légères. Aucune d'entre elles ne parla de tout le trajet, si bien que la jeune femme se demanda si Astrid ne s'était pas assoupie.

Elles quittèrent la grand-route et s'arrêtèrent devant la maison de retraite peu avant dix heures, à temps pour leur rendez-vous avec la surveillante infirmière. Le bâtiment, une construction fade des années 1970, se composait de trois structures basses peintes en vert foncé et reliées entre elles par des galeries de verre. Devant, au centre d'une plate-bande où des rosiers chétifs survivaient tant bien que mal dans le sol desséché, une petite fontaine de béton ne crachait plus d'eau.

Elles gravirent des marches métalliques et franchirent la porte d'entrée. Dans l'accueil déserté, l'air immobile sentait le détergent et la mort, les plats insipides et la gaieté forcée. Sur la droite, un petit comptoir fleuri de bleuets qui piquaient du nez abritait un fauteuil vide. Lorsque Veronika appuya sur la sonnette, une femme émergea d'une porte à l'arrière. Elle s'avança vers elles, accompagnée par le couinement de ses semelles de caoutchouc sur le sol de linoléum brillant. Elle avait la cinquantaine, un visage quelconque et un corps massif qui semblait avoir été fondu dans sa tenue tant celle-ci se distendait sur sa poitrine et son ventre. Elle leur offrit une poignée de main avec un sourire au réconfort tout professionnel.

— Bonjour, je suis sœur Britta.

Veronika considéra Astrid, qui se tenait à côté d'elle, amorphe et les bras ballants. La main de l'infirmière resta dans le vide entre elles, boudée, jusqu'à ce que Veronika l'empoigne.

— Et vous devez être la fille, ajouta sœur Britta.

Veronika glissa un regard rapide à Astrid, qui n'avait toujours pas bougé, le regard absent.

— Non, non, juste une amie, corrigea-t-elle.

C'était toutefois une hypothèse parfaitement vraisemblable, songea-t-elle. Et, aussi surprenant que cela puisse lui paraître, ce rapprochement ne la dérangeait pas.

Elles suivirent sœur Britta dans une petite pièce meublée d'un bureau, face auquel étaient disposées deux chaises en plastique. Après avoir pris place derrière, l'infirmière les invita à s'asseoir. Dans son dos, le soleil entrait à flots à travers les lamelles d'un store, assombrissant son visage qui, auréolé de cheveux crêpelés, semblait empêtré dans des toiles d'araignée.

— M. Mattson est en train de nous quitter, annonça-t-elle. Comme je l'ai expliqué à Mme Mattson au téléphone, nous ne pouvons plus rien pour lui. La fin a été très longue, mais ce n'est plus qu'une question de jours, voire d'heures.

Elle joignit ses mains sur le bureau devant elle.

— Nous n'avons pas souvent vu Mme Mattson ici…, remarqua-t-elle d'une voix qui se voila. Mais puisqu'il ne reste plus que très peu de temps, et je dis bien très peu, j'ai pensé qu'elle aimerait pouvoir lui faire des adieux en bonne et due forme.

Dans le silence qui suivit, elles entendirent le bruit lointain d'une chasse d'eau et un cliquetis métallique.

L'infirmière souligna ses mots d'un hochement de tête approbateur. Ses mains jointes ne bougeaient pas sur le plateau luisant du bureau. Des pépiements d'oiseaux et une odeur d'herbe fraîchement coupée s'introduisaient par la fenêtre. Si, dehors, la vie continuait, à l'intérieur de la pièce exiguë, la mort raréfiait l'air.

— Conduisez-moi à lui.

Bien que prononcés à voix basse, ces quatre mots semblèrent faire taire tous les autres sons. Même les oiseaux interrompirent leur chant. Astrid se leva, s'appuyant lourdement sur le dossier de sa chaise.

— Je veux le voir maintenant.

Il logeait dans une chambre double dont personne n'occupait le second lit. Malgré le beau temps, la pièce, orientée vers le nord, paraissait froide, baignée d'un air croupi. Rien n'y était personnel. Le corps étendu se révélait aussi inerte que le fauteuil revêtu de plastique dans un coin près de la fenêtre ou que les rideaux à rayures grises qui pendaient mollement le long des carreaux. Debout au pied du lit, elles baissèrent les yeux sur la forme inanimée qui y était couchée. Il semblait à Veronika que toute vie l'avait désertée. Un masque de papier blanc remplaçait le visage, spolié de personnalité. Les paupières étaient closes, et le corps si léger qu'il s'enfonçait à peine dans le matelas et l'oreiller, sous la couverture de coton blanc parfaitement lisse et tendue sur un lit au carré. C'était un être humain réduit à une forme physique neutre : des membres, des organes, mais pas d'identité. Il était impossible de se représenter l'homme qui habitait autrefois ce corps.

— Je suis venue te regarder mourir, Anders, dit Astrid. Et je ne partirai pas avant la fin.

Étaient-ce des paroles de réconfort ou de menace ? Veronika eut beau étudier la vieille femme, son visage pâle ne lui donna aucun indice. Ses yeux fixaient, impassibles, le patient. Elle se tenait devant le cadre du lit sans le toucher, les mains jointes derrière le dos.

Veronika quitta la chambre et regagna la réception, où sœur Britta avait repris sa place derrière le comptoir. La religieuse leva la tête pour lui adresser l'un de ses sourires posés de professionnelle.

— C'est toujours difficile, observa-t-elle, mais nous savons bien gérer cela, ici.

Veronika s'installa sur l'une des chaises de la salle d'attente. Gérer quoi ? songea-t-elle. L'une d'elles avait-elle la moindre idée de ce qui se déroulait à l'intérieur de cette chambre ? De ce qu'il y avait entre ces deux êtres ? Un homme mourant et sa femme ? Ou une femme face à une vie à achever ?

Finalement, elle alla s'asseoir dans l'herbe sous les bouleaux. Plus d'une heure s'était écoulée lorsque Astrid apparut sur le perron. Elle s'immobilisa, les yeux plissés dans la clarté aveuglante, la main posée sur la rampe. Veronika la rejoignit. Elle tendit les bras, comme pour l'étreindre, mais se ravisa et les laissa retomber, se contentant de poser une main légère sur le bras de la vieille femme. Elles descendirent les marches côte à côte et poussèrent jusqu'à l'un des bancs disposés en face de la fontaine tarie.

— Ça peut aussi bien prendre des semaines que se terminer aujourd'hui, dit Astrid. Personne ne sait. Le médecin sera là à quinze heures.

Pour le déjeuner, elles se rendirent en voiture au village le plus proche, où le choix se limitait à un petit snack et un commerce de hot dogs. Le snack, déserté, sentait le café oublié sur la plaque chauffante. Elles s'installèrent à l'une des tables couvertes de nappes en plastique à carreaux blancs et bleus. Il semblait n'y avoir personne à des mètres à la ronde. Veronika alla chercher la cafetière sur le comptoir pour leur servir à chacune une tasse du liquide amer et brûlant. Au moment où elle se rasseyait, une jeune fille apparut. Elles commandèrent chacune un sandwich au jambon. Le service fut aussi rapide que la nourriture généreuse et fraîche, mais le repas d'Astrid demeura intact dans son assiette tandis qu'elle sirotait son café.

La tasse nichée entre ses mains, elle regarda Veronika.

— Vous n'êtes pas obligée de rester. Je peux me débrouiller.

Veronika ancra ses yeux dans ceux de la vieille femme.

— Bien sûr que je vais rester. Voyons ce que dit le médecin.

De retour à la maison de retraite, elles s'assirent sur un banc à l'ombre. Pendant que Veronika lisait le quotidien qu'elle avait acheté au village, Astrid patienta tranquillement, les yeux fermés. À quinze heures quinze, le médecin arriva dans un vieux break Volvo poussiéreux. Visiblement informée de leur visite, elle les salua de la main et les invita à la suivre à l'intérieur.

Une fois de plus, elles se retrouvèrent dans le petit bureau. Jeune et bronzée, leur interlocutrice portait un jean délavé sous un haut sans manches, comme si ce rendez-vous ne constituait qu'un bref interlude professionnel au cœur de ses vacances d'été. Son visage respirait toutefois la bonté et elle réussit à dissimuler toute marque d'impatience.

— Je ne peux pas vous dire précisément combien de temps il reste.

Notant son accent, différent de celui de la province, Veronika conclut qu'elles se trouvaient face à une remplaçante engagée pour l'été. Après avoir essayé en vain de capter le regard d'Astrid, celle-ci braqua ses yeux sur la jeune femme.

— Le cœur de votre père est faible, déclara-t-elle en jetant un coup d'œil aux documents devant elle.

Elle ne connaissait pas le patient. Peut-être même n'avait-elle jamais consulté le dossier, songea Veronika, qui, cette fois, ne prit pas la peine de corriger la méprise.

— La sœur a déjà dû vous dire qu'il ne lui reste plus que quelques heures à vivre. Ou quelques jours, mais pas longtemps.

Elle se tourna vers Astrid.

— Nous pouvons demander à quelqu'un de l'Église de venir le veiller avec vous, si vous le souhaitez, proposa-t-elle.

La vieille dame secoua la tête, muette.

— Vous pouvez aller et venir ici à votre guise. Cependant, étant donné qu'il n'y a qu'une infirmière de garde la nuit, il serait préférable que vous restiez pour la nuit entière ou partiez avant vingt-deux heures pour revenir au matin.

— Je vais rester la nuit entière. Je resterai aussi longtemps qu'il le faudra, répondit Astrid, les pupilles fixées sur la fenêtre derrière le médecin.

Une infirmière les raccompagna à la chambre, puis disparut pour apporter un fauteuil supplémentaire. Après l'avoir placé à côté du premier, près de la fenêtre, elles s'installèrent. Des pas étouffés, des bruits de serrure et, de temps à autre, une voix assourdie leur parvenaient à travers la porte fermée. Dehors, les oiseaux chantaient et de rares voitures ronflaient au loin. Cependant, tout était silencieux à l'intérieur de la pièce. Veronika n'aurait su dire si Astrid dormait. Elle était appuyée contre le dossier de son fauteuil, les paupières closes. Mais, au moindre soupir s'élevant du lit, elle se redressait, parfaitement éveillée et alerte. Elles attendirent. Le jour déclina, la nuit blanche du solstice d'été leur offrant toutefois suffisamment de lumière.

L'infirmière frappa doucement à la porte peu avant la fin de son service, à vingt-deux heures. Après avoir vérifié l'état du patient et lissé sa couverture immaculée, elle prit congé des deux visiteuses d'un signe de tête et partit. Un peu plus tard, ce fut le tour de l'infirmière de nuit de passer. Les présentations faites, elle contrôla le patient et les invita à appuyer sur la sonnette en cas de besoin.

Veronika s'assoupit ensuite dans le silence.

Elle se réveilla en sursaut, incapable de déterminer combien de temps elle avait somnolé. Debout au pied du lit, Astrid parlait tout bas. Veronika, qui n'arrivait pas à distinguer ses paroles, demeura assise, sans bouger. Lorsqu'elle émergea de nouveau du sommeil, Astrid était postée à la fenêtre. Sa silhouette noire se découpait sur l'aube blanche, les bras frileusement serrés autour d'elle. Veronika remua sur son siège dans un froissement de plastique.

— Nous pouvons partir, lui annonça la vieille femme sans se retourner. C'est terminé.

Elles rentrèrent lentement par les routes désertes. Si l'air clair évoquait un jour couvert, l'immobilité absolue n'appartenait qu'à la nuit. Il était un peu plus d'une heure du matin. Elles voyagèrent dans un monde qui ne semblait abriter aucune autre âme qu'elles. Ce ne fut que lorsqu'elle tourna la tête pour regarder si sa voisine dormait que Veronika remarqua qu'elle pleurait. Sans un bruit, les larmes coulaient sur son visage et gouttaient sur ses mains posées sur son giron, paumes tournées vers le ciel. Veronika détourna les yeux et ne les détacha plus de la route de tout le trajet.

Lorsqu'elle s'arrêta enfin devant la maison d'Astrid, le soleil flottait juste au-dessus de l'horizon. C'était la veille de la Saint-Jean, jour le plus long de l'année. Veronika contourna la voiture pour ouvrir la portière de sa passagère, qui n'avait pas bougé et pleurait toujours. Il fallut qu'elle lui prenne le bras avec douceur et la soutienne pour la faire descendre. Elle ne la lâcha pas jusqu'à la porte.

— Voulez-vous que j'entre un moment? proposa-t-elle tandis qu'Astrid fouillait les poches de son pantalon à la recherche de ses clés.

La vieille femme ne répondit pas, mais lorsqu'elle pénétra dans la maison, elle laissa la porte ouverte. Veronika franchit le seuil sur ses talons, refermant derrière elle.

Astrid se posta près de la fenêtre de la cuisine. Le soleil dardait ses premiers rayons à travers les carreaux, autant de brins d'or qui se faufilaient dans l'air avant de tomber sur les lattes du plancher.

— Ce n'est pas pour lui, dit-elle. Si je pleure, ce n'est pas pour lui. C'est pour moi.

Veronika la rejoignit et la prit dans ses bras. Elles demeurèrent enlacées en silence.

— Venez, je vais vous aider à vous coucher, suggéra-t-elle enfin.

— En haut. Je crois que je vais dormir en haut.

Elles négocièrent lentement l'escalier, puis traversèrent le vaste palier, où la lumière matinale joua dans la poussière remuée par leurs pieds, pour rejoindre la chambre principale. Astrid ouvrit la porte et, toujours appuyée au bras de Veronika, s'avança vers le lit double dont le jeté était replié sous les oreillers. S'y asseyant, elle retira ses chaussures, puis marqua un temps d'arrêt. Malgré le store blanc baissé sur la fenêtre, le soleil levant du jour nouveau filtrait jusque dans la pièce, tout comme le chant des oiseaux qui s'éveillaient. Astrid hissa ses pieds sur le matelas pour s'étendre. Puis elle se tourna vers le mur, pelotonnée comme un fœtus.

Veronika étudia la vieille femme : ses chaussettes trop grandes, râpées au talon, son dos étroit sous sa chemise froissée. Après s'être baissée pour se déchausser, elle s'allongea à son tour, ajustant sa position de manière que son corps épouse le contour de celui d'Astrid. Et, tandis que la nuit se changeait en jour, elles demeurèrent ainsi, couchées l'une contre l'autre, parfaitement éveillées.

— Il y a quelqu'un à Stockholm, dit tout bas Veronika. Il s'appelle Johan. J'aimerais vous parler de lui.

# 18

*Qui, dans la nuit, nous raconte en musique, toi et moi*
*à la flûte, une petite flûte d'argent?*
*Notre amour est mort. Quand te parlai-je.*
*— Une flûte, une petite flûte d'argent.*

## Veronika

Je connais Johan depuis si longtemps que j'oublie parfois que je ne l'ai pas toujours connu.

Il me téléphona à Londres pour me demander de rentrer pour Noël. Sa voix me paraissait si proche qu'il aurait pu appeler de la pièce d'à côté. Sur mes carreaux, la pluie ruisselait comme des larmes noires. Le paquet que James m'avait donné avant son départ contenait un téléphone portable, un de ces nouveaux modèles équipés d'une caméra. Dans le mot qui l'accompagnait, il écrivait qu'il voulait que je le voie quand il me téléphonait. Lorsqu'il m'avait appelée d'Auckland, je l'avais écouté me parler de la mer, du surf et du citronnier en fleur dans le jardin de sa mère tandis qu'il me regardait en souriant à travers le petit écran. Il m'avait raconté Noël sur la plage, les barbecues, le surf, le soleil et les fraises. Mais un abîme me séparait de ses mots, vagues et distants. J'avais beau coller le téléphone contre mon oreille, la pluie qui tombait entre nous deux semblait brouiller le son et les images.

Je décollai de Heathrow trois jours avant Noël. Johan avait proposé de venir me chercher à l'aéroport d'Arlanda et, bien que j'aie décliné son offre, j'ignorais s'il m'écouterait. Je fus donc soulagée de ne pas le voir à l'arrivée. Stockholm était aussi sombre et humide que Londres, mais plus froide. Ses trottoirs disparaissaient sous une neige fondue grisâtre. Je pris la navette jusqu'à la ville, puis le métro. L'après-midi touchait à sa fin et, dans ce monde d'obscurité compacte, les décorations de Noël et les réverbères offraient un réconfort surréaliste. Le train bondé exhalait de tristes odeurs de laine mouillée et de transpiration. À Karlaplan, je descendis du wagon et tirai ma valise derrière moi sur la neige, pataugeant avec un plaisir enfantin dans la bouillasse, mes chaussures peu à peu infiltrées par l'eau glaciale. Je traversai la rue, puis marchai jusqu'à l'immeuble. Après avoir composé le code, je collai mon épaule contre la porte en verre dans un mouvement réflexe, mais le battant refusa de s'ouvrir. Quand je compris que le code devait avoir changé, je ressentis un sursaut de colère, ainsi qu'une pointe de déception.

Derrière la vitre, le lustre répandait une chaude lumière jaune, et moi j'étais dehors, les pieds mouillés et engourdis. Quelques gros flocons tombaient sur ma tête, fondant à l'instant même où ils se posaient sur mes cheveux ou mes épaules. Quand j'appuyai sur l'interphone, Johan répondit sur-le-champ, comme s'il attendait mon appel. Et quand je sortis de l'ascenseur au quatrième étage, il se tenait sur le seuil, dans le contre-jour de la lumière de l'appartement, dont s'échappaient des effluves de cuisine. Il paraissait plus grand, comme s'il avait continué sa croissance en mon absence. Il me salua d'une étreinte vaporeuse, un simple frottement de joues, puis se baissa pour me débarrasser de ma valise. Après tout ce temps, je me surpris à noter qu'il avait changé d'après-rasage.

Je le suivis à l'intérieur, avisant les aménagements et réaménagements mineurs : une estampe encadrée sur le mur près de la porte de la cuisine, un tabouret juste derrière le battant, un pot de lierre sur le rebord de la fenêtre. Je trouvai l'appartement à la fois identique à mon souvenir et radicalement différent. J'étais partie depuis un peu moins d'un an, mais il me semblait que cela faisait plus longtemps. J'avais l'impression d'avoir vécu entre ces murs dans une autre vie. Nous avions consacré beaucoup de temps à la rénovation, nous lançant dans des travaux méticuleux entre les études et le travail. C'était un modeste appartement composé d'une pièce spacieuse, d'une cuisine, d'une salle de bains et d'une entrée. J'adorais la cuisine, avec son énorme gazinière et ses buffets sur pieds anciens, achetés d'occasion. Aucun meuble n'y était encastré.

Mais cet espace ne m'appartenait plus. J'en eus parfaitement conscience tandis que, debout dans l'embrasure de la porte, je regardais Johan frire du hareng de la Baltique, mon plat préféré. Quatre assiettes étaient disposées devant lui : une petite pile de poissons nettoyés, de l'aneth, des œufs battus et, enfin, de la farine de seigle complète. Avec méthode, il plaçait côte à côte deux petits filets de poisson, ouverts et la peau sur le dessous, les parsemait d'aneth, de sel et de poivre, puis les rabattait l'un sur l'autre, les aplatissant bien avant de les tremper dans l'œuf battu et de les rouler dans la farine. Il travaillait avec des gestes posés et précis, comme s'il avait répété pour s'assurer de ne pas rater. Il glissait ensuite les filets sur une spatule et les déposait dans la poêle chaude beurrée.

Il paraissait absorbé dans son travail, mais il leva tout à coup les yeux sur moi avec un sourire et un haussement d'épaules embarrassés. Après lui avoir rendu son sourire, je retournai dans la pièce principale. La vapeur des pommes de terre en train de bouillir embuait la fenêtre. La longue table était dressée pour deux, avec des assiettes directement posées sur le bois, sans set. Un panier de jacinthes blanches plantées dans de la mousse de même couleur était disposé d'un côté, près du chandelier de Noël dont les quatre bougies scintillaient. Un feu brûlait dans le vieux poêle en faïence, dans un coin. Mes pieds nus se réchauffèrent lentement tandis que je déambulais dans la pièce, une boule dans la gorge. Johan avait mis l'une de ses œuvres en fond sonore. Je ne l'avais pas reconnue depuis la cuisine, mais je l'identifiai sur-le-champ dans le salon. Le jour où il l'avait composée, il nageait en plein bonheur. Il venait d'être accepté à l'Académie de musique. C'était la Toussaint et nous avions marché jusqu'au parc Haga en passant devant le cimetière du Nord, où des milliers de flammes dansaient à la brumeuse tombée du jour. Son bras autour de mon épaule, il m'avait confié n'avoir jamais été aussi heureux. Quand nous étions rentrés à la maison, il avait mis sa cassette. La musique ressemblait à notre journée : intensément joyeuse et profondément sereine.

Je passai dans la salle de bains où je fis couler l'eau, appuyée sur le lavabo. Deux serviettes pendaient à des crochets identiques : l'une utilisée, l'autre sortie depuis peu, marquée de plis encore nets. Après m'être aspergé le visage d'eau froide, je frottai le linge propre sur mes joues.

Pour le dîner, nous nous assîmes à nos places habituelles : Johan contre le mur, moi dos à la pièce. Soudain, je me rendis compte que je n'avais pas vu le chat.

— Où est Loa ?

Johan ne répondit pas tout de suite, affairé à servir le poisson.

— Tu ne l'as quand même pas fait piquer, si ?

Il releva la tête, posant ses yeux gris sur mon visage.

— Bien sûr que non.

Il replaça le plat sur la table et attrapa la purée avant de poursuivre :

— On était tous les deux malheureux, tu comprends. Elle traînait dans l'appartement tous les soirs, elle fouillait tous les recoins avant de se résigner à ton absence. Et je ne valais pas mieux, à tourner sans but, à moitié persuadé de te trouver au lit à mon retour. Et quand je réussissais enfin à m'enlever cette idée du crâne, ne serait-ce qu'un instant, Loa réapparaissait et me fixait de ses yeux tristes et accusateurs. Quand je n'arrivais pas à dormir, je la réveillais. Quand je dormais, c'est elle qui me réveillait avec ses errances incessantes. On ne faisait que se rappeler notre malheur l'un à l'autre.

Il nous servit du vin.

— J'ai fini par l'emmener chez ma mère, sur l'île. Deux spécimens du beau sexe dans la force de l'âge, tous les deux désabusés… Le courant semblait passer.

Il me regarda en souriant.

— Si tu restes, on la reprendra.

Pour toute réponse, je levai mon verre. Il en fit autant avec le sien, m'effleurant le bras de sa main libre.

— De toute façon, vous vous verrez à Noël. Maman nous invite pour un réveillon végétarien traditionnel. Diète de jambon et bon vin à flots! Il faudra dormir sur place, évidemment. On sera à l'étroit, à neuf dans sa petite maison, mais on sera ensemble, comme avant. Maria et Tobias sont descendus d'Umeå et maman a invité sa vieille amie Birgitta et son fils Fredrik. J'ai aussi dit à Simon et à Petra de se joindre à nous. Avec Simon, on fait notre possible pour continuer le groupe, mais on a manqué de temps ces derniers mois.

Adossé au mur, il me regardait droit dans les yeux.

— Mais tu as peut-être autre chose de prévu…

Il prononça cette dernière phrase d'un ton presque contrit, comme s'il regrettait de s'être emballé et d'avoir trop parlé.

— Non. Non, je n'ai rien de prévu. C'est une très bonne idée. Merci.

Je bus une petite gorgée de vin en écoutant la musique.

Après le repas, nous débarrassâmes la table puis fîmes la vaisselle selon notre habitude : Johan au lavage, moi à l'essuyage. Il prépara ensuite du café et nous retournâmes nous asseoir à table. Nous demeurâmes silencieux dans la lueur vacillante des bougies tandis que la neige tombait derrière les carreaux sombres. Johan se pencha sur la table et prit mes mains dans les siennes.

— Je suis si heureux, Veronika. À cet instant précis, je suis comblé. Peu importe demain. Aujourd'hui, je suis là, avec toi. Et je suis heureux.

121

Lorsque je sortis de la salle de bains, la fenêtre était ouverte. Poussés par le vent, des flocons entraient dans l'appartement, formant des gouttelettes d'eau sur le sol. Je rabattis les couvertures du lit pour me coucher. La pièce était plongée dans l'obscurité, seulement éclairée par la lumière des réverbères et les flammes qui mouraient dans le poêle. Tandis que Johan passait dans la salle de bains, je demeurai immobile, les yeux sur la neige.

Quand il revint, il ferma la fenêtre et les volets du poêle, puis se glissa dans le lit comme un chat, presque sans déranger les couvertures. Je m'étais tournée sur le flanc, face au mur. Il s'allongea dans un léger souffle de dentifrice. Je ne bougeai pas. Lui non plus, jusqu'à ce que sa paume se pose sur mon dos, délicate, et glisse le long de ma colonne vertébrale. Il roula ensuite sur lui-même, son dos contre le mien, sa plante de pied au contact de la mienne.

À mon réveil, sa place était vide, mais je constatai, en tendant le bras, que les draps étaient encore chauds. Je l'entendais aller et venir dans la cuisine et une odeur de pain emplissait la pièce. Je sortis du lit, m'enveloppai dans la couverture et traversai le salon jusqu'à la cuisine. Je m'arrêtai un instant sur le seuil pour le regarder. Dos à moi, il s'affairait, chargeant un plateau de tasses, d'assiettes, d'un panier de pain, de confiture et de fromage. Les bougies brûlaient de nouveau sur la table. Le café filtrait dans la cafetière électrique. Sous son vieux peignoir vert, son pantalon de pyjama décoloré lui tombait à mi-jambe. Il était pieds nus. Je m'approchai et collai mon corps emmitouflé contre son dos, les bras autour de sa taille. Il se figea un instant, muet, le panier de pain dans la main.

— Je dois bientôt partir, dit-il quand nous nous attablâmes.

Je regardai par la fenêtre, qui ne révélait rien du temps à l'extérieur. Malgré la neige, tout était noir.

— J'ai des trucs à finir. C'est mon dernier jour de travail avant Noël. On pourrait prendre le premier ferry demain matin.

Je saisis ma tasse entre mes deux mains et soufflai sur le café brûlant.

— D'accord, je ferai quelques achats de Noël en attendant, répondis-je.

Et, l'ombre d'une seconde, je ressentis un frisson d'impatience.

Lorsque je franchis la porte d'entrée, je m'immergeai dans un monde crépusculaire en sourdine dont les habitants, enfoncés dans la neige jusqu'aux chevilles, marchaient en levant les pieds bien haut, comme des oiseaux qui pataugent dans l'eau. À presque dix heures, les réverbères étaient encore allumés.

Je descendis Sturegatan, traversai Stureplan et continuai sur Biblioteksgatan. Les magasins ouvraient leurs portes, les vitrines flamboyaient de lumière. Je traversai Norrmalmstorg, où le marché de Noël se préparait avec empressement au temps fort de l'année.

Mon téléphone portable sonna au moment où j'entrais dans le grand magasin NK. Je me démenai pour démêler les bretelles de mon sac à dos, puis fouillai d'une main fébrile la poche pour y dénicher l'appareil avant que la sonnerie se taise. Je le collai ensuite à mon oreille, encore nerveuse.

— Veronika, annonçai-je en plaquant ma main sur mon autre oreille.

— C'est James.

Une longue pause succéda à ces quelques mots. Je me demandais si le téléphone n'avait pas coupé lorsqu'il reprit:

— Tu me manques.

Le chauffage à air pulsé du magasin soufflait dans mon dos et l'air froid de la rue sur mon visage.

— James.

Devant moi, les voitures circulaient lentement, comme des poissons géants dans un aquarium. Les phares creusaient des tunnels dans la neige tourbillonnante.

— Où es-tu?

— Je suis à Stockholm. C'est Noël, ajoutai-je avant de mesurer la bêtise de ma remarque. Je suis rentrée pour les fêtes de fin d'année.

Il rit, et je me rappelai soudain cette joyeuse sensation.

— Viens en Nouvelle-Zélande, Veronika. Rejoins-moi. Ici aussi, c'est Noël. Une fois par an. Et le reste de l'année n'est pas mal non plus. Viens vivre avec moi dans le nouveau monde.

Je décollai le téléphone de mon oreille pour voir son visage sur l'écran. Ses cheveux avaient poussé. Je renversai ma figure vers le ciel, laissant les cristaux de neige se poser sur ma peau.

Lorsqu'il se remit à parler, ma décision était prise.

Je traversai Kungsträdgården, avec ses rangées d'ormes soulignées de blanc, comme nappées de glaçage. Des patineurs fourmillaient sur la piste, gravitant avec grâce au son de la musique diffusée par des haut-parleurs, sous les flocons qui voletaient dans le ciel. Je longeai l'opéra et empruntai le pont en direction de la vieille ville, Gamla Stan. Attroupés sur les berges le long de l'eau fumante, des canards et des cygnes se dandinaient en lorgnant les passants d'un œil furieux.

J'allai à la dérive dans la foule du marché de Stortorget, au milieu des effluves de vin chaud, de pain d'épice, de cire de bougie et de viande fumée. Blottis les uns contre les autres au centre de la place, les membres d'un petit chœur chantaient des airs de Noël *a capella*, soufflant de la vapeur blanche à chaque note.

J'avais l'impression que mes sens étaient soudain sortis d'un long engourdissement, que je prenais des notes et rassemblais des images pour plus tard. Je partais. Sur un coup de tête, j'allais m'envoler au bout du monde pour rejoindre un homme que je connaissais à peine. Pour rire à nouveau.

Pour le dîner, Johan avait réservé à Blå Porten. Les tables scintillaient de bougies et le menu n'avait pas changé. Il arriva avec les cheveux mouillés et les bras chargés de sacs de courses, qu'il fourra sous sa chaise. Nous commandâmes une bouteille de vin rouge. En le voyant se frotter les mains en face de moi, je me rappelai qu'il avait toujours très froid aux doigts.

— Mes mains sont gelées, expliqua-t-il avec un sourire gêné en soufflant dans ses paumes creusées.

Je scrutai son visage pour l'enregistrer lui aussi : ses iris gris, sertis dans le blanc le plus pur que j'aie jamais vu dans des yeux, presque bleu pâle ; ses cils clairs recourbés ; son long nez busqué ; ses fins cheveux blonds qui s'éclairciraient peut-être bientôt. Il m'apparut soudain que nous devions passer pour un couple heureux, de sortie pour un dîner romantique à l'avant-veille de Noël. Deux amoureux bien ensemble.

Nous mangeâmes en conversant. La lueur chaude des bougies nous permettait, le temps d'un dîner, de repousser le monde extérieur. Nous commandâmes ensuite des cafés avec de la crème fouettée. Le moment se rapprochait dangereusement.

Lorsque je lui annonçai ma décision, je sus que je ne voudrais plus jamais causer autant de peine. Peut-être la lumière me jouait-elle des tours, mais j'eus l'impression d'assister à son agonie. La vie sembla soudain déserter son visage et son corps. Il demeura figé, les yeux écarquillés. Seules ses mains remuaient, se nouant et se dénouant. Puis des larmes se mirent à couler de ses yeux sur ses doigts. Il ne chercha pas à les essuyer. Toute parole de ma part aurait été vaine, nous gardâmes donc le silence tandis que les clients des autres tables discutaient et riaient entre deux bouchées, comme si la vie poursuivait son cours tranquille. Au bout d'un moment, il s'excusa et s'éclipsa aux toilettes. Je payai l'addition et allai l'attendre près de la porte avec nos sacs de courses.

Nous rentrâmes en taxi. À la maison, nous bûmes du whisky, n'échangeant que quelques mots. Je laissai alors entendre qu'il vaudrait peut-être mieux que je ne l'accompagne pas chez sa mère.

Il me considéra sans un mot. Puis, il se leva de table et s'éloigna vers la cuisine.

— Nous verrons bien demain, dit-il, le dos tourné.

Le lendemain matin, nous semblions tous les deux être arrivés à la même conclusion. Nous savions aussi bien l'un que l'autre que je n'irais pas. Johan prépara ses valises.

— Je vais t'accompagner au ferry, si ça ne te dérange pas, proposai-je.

Il ne m'adressa pas un regard, se bornant à me demander d'appeler un taxi. Bien qu'il eût cessé de neiger pendant la nuit, les rues n'étaient pas encore dégagées. La ville entière disparaissait sous une ouate blanche qui feutrait tous les sons. Les pieds dans la neige, nous attendîmes l'ouverture de la grille du ferry sur le quai face au Grand Hôtel. Les premières lueurs du soleil levant embrasèrent les vieilles bâtisses le long de Skeppsbron, sur l'autre rive. N'ayant nulle part où les poser, Johan s'accrochait à ses sacs de courses. Lorsque la barrière libéra le passage, il se tourna pour me prendre dans ses bras. Ses paquets rebondirent doucettement derrière mes jambes.

— *God Jul*, Veronika, me chuchota-t-il dans le creux de l'oreille. Joyeux Noël.

Puis il recula d'un pas, les yeux fixés sur le sol entre nos pieds.

— Je me trompais, Veronika. Oui, je me trompais, répéta-t-il en relevant la tête. Aujourd'hui ne m'a jamais suffi. Je voulais aussi demain.

Alors il fit volte-face et embarqua sans un regard en arrière.

# 19

*Pour le chagrin la mémoire fut donnée;*
*si c'est la paix que tu cherches, oublie!*

Astrid n'avait pas bougé et respirait d'un souffle léger. Hormis le bourdonnement de deux ou trois mouches ensommeillées sur l'appui de la fenêtre, le silence régnait dans la chambre. Veronika ferma les yeux.

— Je l'ai laissé là et, pour moi, il est figé dans le temps. Je ne vois plus que son dos. Jamais son visage.

Elle se tut.

— C'est triste d'oublier le visage d'un être aimé, remarqua Astrid à voix basse. Si triste. On a tendance à croire que ça rend les choses plus faciles, de ne plus voir un visage.

Veronika considéra l'arrière du crâne de la vieille femme. Dégagés de son visage, ses cheveux se déployaient sur l'oreiller en un éventail de fils gris. Elle fut prise d'une envie subite de caresser cette tête; elle demeura toutefois immobile, les mains pelotonnées sous son menton.

— C'est une erreur. La douleur n'en est que plus forte.

Astrid roula sur le dos et se mit à trifouiller d'un geste inconscient les boutons de sa chemise. Elle se retourna ensuite pour regarder Veronika.

— J'ai oublié le visage de ma fille, dit-elle. Je peux le décrire dans le moindre détail, mais je n'arrive plus à le voir.

Elle ferma les paupières et, tandis que sa bouche formait les mots, son visage se détendit et s'adoucit, jusqu'à ce qu'un sourire se pose sur ses lèvres.

— Elle avait de doux cheveux cuivrés, de vrais rayons de soleil. Ils brillaient comme ceux de ma mère. Ses yeux étaient grands, et noirs, mais je crois qu'ils seraient devenus verts avec le temps, exactement comme ceux de ma mère. Ils étaient si limpides, et si confiants quand ils plongeaient dans les miens. Je passais mon doigt sur son front, je n'avais jamais rien touché d'aussi doux. Quand je la changeais, je posais ma paume sur son ventre et son regard s'accrochait au mien. Je la prenais tout contre moi et sa main reposait sur ma poitrine, soudée à ma peau, comme si elle faisait encore partie de moi. Ses pieds cognaient contre mon ventre avec les mêmes mouvements que lorsque je la portais en moi.

Astrid s'interrompit un instant.

— Depuis sa naissance, il ne s'est pas passé un jour sans que je ne pense à elle. Mais la voir, je n'y arrive pas.

Veronika se tourna sur le dos, les mains sur son ventre.

— Racontez-moi, dit-elle. Donnez-moi à voir votre fille.

# 20

*Avec toi seul j'énonçais
ce que nul autre ne peut savoir.
Sur les chemins sans fin,
tu étais ma solitude.*

## Astrid

Je la baptisai Sara, du prénom de ma mère. Elle vit le jour ici, dans cette chambre, par un mois de février. Pendant la nuit, une tempête de neige souffla, amoncelant des congères contre les murs et bloquant les routes. Éveillée dans le lit, j'écoutai le hurlement du vent et le martèlement de la neige contre les fenêtres, consciente que mon enfant était sur le point de naître. Lorsque le jour se leva, le vent s'essouffla et le soleil émergea. Postée à la fenêtre, j'observai ce paysage pareil à l'aube du monde. On aurait dit que le vent et la neige avaient créé un nouvel univers pour mon enfant.

Finalement, la sage-femme réussit à grimper la colline à travers la neige épaisse et arriva à temps pour m'assister pendant l'accouchement. Elle posa ensuite le petit corps emmailloté dans mes bras et, avec un sourire, m'annonça que c'était une fille. Je défis le lange pour caresser la peau douce de mon enfant. Puis je lui tendis le doigt et elle l'attrapa, ses ongles pareils à de petites écailles brillantes. Elle le serra fort tandis que je plongeais dans ses yeux sombres.

J'étais habitée par une telle joie que j'avais l'impression que nous étions invincibles, ma fille et moi. Ma fille, Sara.

J'approchai mon nez de son cou pour absorber son odeur. Puis je touchai ses cheveux, caressai sa joue, passai mes lèvres sur son front.

Ce ne fut que lorsque je relevai la tête que je m'aperçus que mon mari était entré dans la chambre. Il se tenait au pied du lit, les mains croisées sur la poitrine. Lorsque la vieille femme lui fit remarquer qu'il avait une jolie petite fille, il ne répondit rien. Ses mâchoires remuèrent, mais aucun son ne sortit de sa bouche. Ses yeux, eux, ne se détachaient pas de l'enfant.

— Une rousse, finit-il par cracher. C'est une rousse.

Sans un mot de plus, il sortit de la pièce.

Je ne quittai plus ma fille. J'avais l'impression de connaître le moindre de ses souhaits, le moindre de ses besoins. Elle ne pleurait jamais. À l'arrivée des jours plus doux, je l'emmenai avec moi dans mon endroit secret, au milieu de la forêt. Sur le chemin, je lui racontai tout. Pour elle, j'embellissais tout. Je lui disais les jolies choses, parce que je voulais qu'elle habite un monde de beauté. Je voulais lui offrir un monde où tout serait beau. Je voulais qu'elle reçoive de l'amour, et qu'elle en donne en retour. Nous nous assîmes au soleil dans cet espace clos par les arbres, et alors l'enchantement opéra. Comme avant, les sapins montaient la garde autour de l'être que j'aimais. Et, pendant un temps, le monde fut beau. Très beau.

Cette année-là, il plut tout le mois de mai, ou ce fut tout comme. La pluie apaise parfois autant que le soleil. Une certaine douceur habitait le matin sous le tapotement léger des ondées printanières. Non, ce n'était pas même un tapotement, c'était une pluie si fine qu'elle tombait sans bruit. Elle gorgeait l'air et nourrissait le renouveau en silence. Je me promenais, mon enfant abritée sous ma cape de pluie. Réclamé à Stockholm pour affaires, mon mari s'absenta presque tout le printemps, mais, avec les fermetures des vacances d'été, il rentra à la ferme.

Pourquoi m'est-il donné de me rappeler tout cela alors que je n'arrive pas à voir le visage de mon enfant?

Je sus qu'il se trouvait là au moment où je grimpai l'escalier. La porte n'était pas fermée, je n'eus qu'à la pousser doucement et elle tourna silencieusement sur ses gonds. Je le trouvai penché au-dessus du berceau. Je le vois aussi clairement qu'alors. Un soleil radieux perçait à travers les rideaux légers, comme s'il était sorti spécialement pour me donner à voir le moindre détail.

Je m'avançai jusqu'au berceau, en sortis ma fille et la serrai dans mes bras. Puis je descendis l'escalier et sortis dehors.

J'allai m'asseoir avec elle dans l'herbe à l'arrière de la maison, près du carré de fraisiers. En ce début de soirée, le soleil flottait encore haut dans le ciel. Des hirondelles filaient au-dessus de nos têtes, chassant les moustiques arrivés avec le beau temps.

Je la tins contre ma poitrine, mes lèvres posées sur le sommet de son crâne. Je lui parlai des fraises sauvages. Je lui promis d'en garnir pour elle des brins de fléole des prés. Je lui dis combien elles seraient sucrées et que je lui en cueillerais une paille pour chaque jour de l'été. Mais lorsque je baissai les yeux sur les plantes, dont les fleurs se réduisaient encore à de petits boutons, je sus. Je sus que je n'aurais pas le temps.

# 21

*Ce soir, tu es invité à danser avec la brume...*

L'obscurité avait gagné la chambre. Le soleil avait disparu et des rafales de vent faisaient trembler les fenêtres, annonciatrices de pluie.

Veronika se tourna vers Astrid. Elle posa une main douce sur sa tête et lui caressa les cheveux, rassemblant les mèches grises derrière son oreille. Puis elle laissa sa main glisser sur son épaule. Elles demeurèrent ainsi tandis que le store murmurait dans le vent.

— C'est la veille de la Saint-Jean, mais je crois qu'il va pleuvoir, déclara-t-elle enfin. J'ai pensé que nous pourrions descendre à pied au village cet après-midi, pour voir élever le mât fleuri. Ce pourrait être une bonne idée, s'il ne pleut pas.

Pour toute réponse, Astrid prit une profonde inspiration sonore. Veronika se redressa et laissa ses jambes retomber du lit. D'un regard à sa montre, elle constata qu'il était presque midi. Comme Astrid remuait dans son dos, elle se leva pour laisser à la vieille femme la place de s'asseoir. Mais celle-ci demeura étendue, les yeux au plafond.

— Oui, dit-elle. Je crois que ce pourrait être une très bonne idée.

Elle resta ensuite immobile tandis que Veronika se glissait sans un bruit hors de la chambre.

Lorsqu'elle revint dans l'après-midi, Veronika trouva sa voisine assise sur le banc sous le porche. Elle avait enfilé une chemise blanche, et un gilet de laine bleu marine reposait sur ses genoux. Ses cheveux étaient mouillés et peignés en arrière. Veronika décela un changement dans le port de la vieille femme, une différence subtile dans l'angle de son menton, sa posture. Elle reconnut dans cette attitude de la détermination, de la dignité. Peut-être du soulagement, aussi.

Elles descendirent tranquillement la colline. Il ne pleuvait plus, mais l'air était humide et le ciel couvert. L'ondée avait fait ressortir les odeurs d'herbe et de trèfle. Pliant le bras, Veronika invita Astrid à le lui prendre. La vieille femme s'exécuta et, tandis que leurs pas trouvaient un rythme commun, elle s'appuya légèrement sur Veronika.

L'espace vert qui bordait la rivière derrière l'église grouillait de gens, dont la plupart portaient les couleurs vives du costume traditionnel du village. Les jupes rouges des femmes tournoyaient et un souffle d'attente joyeuse et de fête, voire de fébrilité, s'empara de l'assistance à l'approche du cortège flottant, lorsque se firent entendre les premières notes basses. Sur chacune des quatre grandes barques qui descendaient la rivière, un violoniste accompagnait le mouvement des rameurs. Légèrement à l'écart, Veronika et Astrid regardèrent sans un mot les bateaux toucher le débarcadère et leurs équipages rejoindre les villageois rassemblés sur la rive, puis remonter avec eux jusqu'au mât fleuri, qui gisait par terre, orné de branches de bouleau et de fleurs sauvages. Les violonistes se mêlèrent aux autres musiciens, qui se tenaient prêts à jouer, et accordèrent leur instrument tandis qu'un groupe d'hommes dressait le mât. La scène évoquait à Veronika un rite de l'Antiquité, presque païen. Quoique légèrement mélancolique, la musique, entraînante, prêtait à la danse. D'ailleurs, dès que le mât fut élevé et son équilibre assuré, adultes et enfants se réunirent autour et se donnèrent la main pour faire la ronde.

Debout, ses deux poings serrés sur son gilet, Astrid suivait des yeux les villageois qui tournaient autour du mât au rythme des chansons et des danses traditionnelles de la Saint-Jean. Elle pivota vers Veronika, à qui elle adressa un petit hochement de tête accompagné d'un pâle sourire. Puis elle glissa de nouveau son bras sous le sien et contempla avec elle le spectacle.

— Allons nous asseoir sur la rive, proposa la jeune femme au bout d'un moment. Nous entendrons la musique de là-bas, et nous pourrons regarder l'eau.

Elle sentait le bras de la vieille femme s'alourdir sur le sien.

Lorsqu'elles s'installèrent sur l'herbe, les premiers rayons d'un soleil de fin d'après-midi perçaient à travers les nuages. Astrid s'agrippa à la main de Veronika le temps de s'asseoir, mais elle parut plus à l'aise dès qu'elle eut étendu ses jambes devant elle, sur la pente formée par la berge. Veronika rabattit sa jupe sur ses jambes, déjà cernées par les moustiques. Elle battait l'air de la main dans une piètre tentative pour décourager leurs attaques quand Astrid lui tapota le bras.

— Tenez, prenez-en, dit-elle en lui tendant un flacon d'antimoustique à bille. À l'époque de la Saint-Jean, ne sortez jamais sans, observa-t-elle avec un petit sourire.

Reconnaissante, Veronika appliqua le produit sur ses jambes, ses bras et son cou.

— Nous devons cueillir nos sept fleurs sur le chemin du retour, remarqua-t-elle. Vous souvenez-vous de celles de la chanson?

Astrid lui rendit son regard avec un sourire amusé.

— Oh, le myosotis, la fléole des prés. La jacinthe des bois, aussi. La violette?

Elle réfléchit.

— Oui, et le trèfle des prés, ajouta Veronika. La linaigrette. Et une autre dont je ne me souviens jamais.

— L'achillée millefeuille, compléta Astrid. J'ai lu quelque chose sur l'achillée millefeuille, il y a des années de ça. Les Chinois utilisaient sa tige dans l'art de la divination. Je crois que cette plante convient bien à votre petit bouquet de la Saint-Jean.

Veronika la regarda avec surprise, mais les yeux de la vieille femme étaient posés sur la rivière, où le soleil vespéral batifolait, jetant en tous sens des reflets éblouissants.

— Et de qui rêverez-vous, Veronika? interrogea Astrid sans détacher ses yeux de l'eau. Avec les fleurs sous votre oreiller. Qui donc vous apparaîtra en rêve?

Veronika demeura silencieuse. Ses bras enserraient ses jambes repliées contre elle, son menton reposait sur ses genoux.

— Si je suis venue ici, finit-elle par répondre, c'est pour échapper à mes rêves.

# 22

*... car le jour tu es,*
*et la lumière tu es,*
*le soleil tu es,*
*et le printemps tu es,*
*et la belle, si belle,*
*vie qui attend !*

## Veronika

Mais je rêve encore de la mer, mon ennemie. Je rêve de mon ennemie, pas de mon amour. Je rêve de son étendue infinie miroitant dans toutes les nuances de bleu et de vert, du marine noir des abysses insondables à l'émeraude lumineux des basses eaux.

Elle s'étirait en dessous de moi, interminable, alors que mon avion entamait sa descente vers la Nouvelle-Zélande. Si j'avais ne serait-ce que cligné des yeux, la minuscule bande de terre surgie des profondeurs aurait pu m'échapper. La Nouvelle-Zélande : Aotearoa. Mais je ne cillai pas ; au contraire, je gardai les yeux grands ouverts. Je me sentais vierge, neuve, lavée, comme cette terre balayée par le vent. Je m'étais jetée d'une falaise sans savoir où et comment j'atterrirais. Je collai mon front au hublot tandis que l'avion perdait de l'altitude et que la terre se rapprochait.

À cette heure matinale, les opérations aéroportuaires se déroulèrent rapidement. Je passai les douanes derrière mon chariot à bagages, parcourant des yeux les visages de la foule qui attendait. Ce fut lui qui me trouva. Je sentis ses mains sur mes épaules avant de le voir. Il me fit ensuite pivoter face à lui et me prit dans ses bras. Nous restâmes ainsi immobiles, telle une île dans le flot de voyageurs, jusqu'à ce qu'un Asiatique nous demande poliment de nous écarter. Je dévisageai James, m'imprégnant de sa présence : sa casquette de base-ball délavée sur des cheveux qui paraissaient plus longs et plus bouclés qu'avant ; son T-shirt blanc avachi ; son short miteux ; ses pieds bronzés dans des tongs en plastique ; son visage, dont mes yeux fouillèrent chaque détail, palpant sa peau, dessinant ses sourcils et le contour de ses lèvres, comparant avec les images archivées. Alors tout me revint. D'abord comme un infime frisson, au plus profond de mon être, une chaleur qui se répandit dans mes membres, mes doigts puis mes lèvres. Mon sourire eut l'éclat du rire.

Nous sortîmes dans la lumière éclatante. De minces nuages blancs s'étiraient dans un ciel infini et un vent frais nous portait.

Sur la route d'Auckland, je regardai défiler le paysage sans en enregistrer les particularités. James parlait, pointant çà et là sa main gauche vers la vitre d'un geste rapide avant de la reposer sur mon genou droit. J'observai son profil, sa main sur le volant, ses pieds nus sur le plancher. Il paraissait tellement à l'aise, tellement en accord avec ses vêtements, sa voiture, le décor. Il était chez lui. Soudain, j'eus pleinement conscience d'être encroûtée dans le vieux monde. Je n'étais pas à ma place, avec ma peau pâlie par l'hiver et mes lourds vêtements sombres. Même mon odeur ne s'accordait pas à l'environnement. Dans ce monde neuf d'une clarté intense, dont l'air inodore était traversé d'une brise fraîche, j'étais vieille, fatiguée et dépaysée.

Nous nous rendîmes directement chez sa mère, à St Mary's Bay. James arrêta la voiture devant une villa en bois blanc, semblable à beaucoup d'autres de la rue tranquille. C'était une maison pittoresque qui semblait tout droit sortie d'un livre d'histoires, quoique plus grande que je ne l'imaginais.

— Ma mère vit dans une petite maison dans le centre d'Auckland, m'avait-il dit.

Ce n'était pas ce que j'appelais une « petite maison ». La porte d'entrée était flanquée de deux grands bow-windows et une large véranda courait le long de la façade, continuant au-delà du coin droit. Des roses blanches se répandaient par-dessus la palissade, sous un grand arbre garni de joyeuses grappes de fleurs rondes vermillon pareilles à des pompons se balançant allègrement dans le vent.

Sa mère apparut sur le seuil alors que nous déchargions mes bagages du coffre. Elle s'arrêta sur la plus haute marche du perron, les bras le long du corps et les mains jointes. C'était une femme menue, vêtue avec une élégante décontraction d'un pantalon de lin blanc et d'un haut beige. Ses cheveux blonds étaient noués en arrière. Tout en gravissant les marches, je cherchai sur son visage un air de son fils. Je ne trouvai cependant aucune ressemblance avec James dans ses grands yeux gris sans maquillage, son long nez, sa bouche large aux lèvres pleines. Elle me rendit mon regard avec la même concentration que moi, mais l'ombre d'un sourire, si ce n'était d'un rire, lui chatouillait le coin des lèvres.

— Veronika, dit-elle en posant sa voix sur chaque syllabe. Ve-ro-ni-ka. Bienvenue en Nouvelle-Zélande. Je suis Erica.

Elle m'étreignit d'un mouvement aérien et fugace, comme un souffle de vent. Son bras s'attarda dans mon dos, mais ce fut moins ce contact physique que l'esquisse d'une légère pression qui me conduisit dans le vestibule.

Nous traversâmes la maison pour ressortir sur la véranda à l'arrière, parcourant des pièces à l'image de la femme qui les habitait : lumineuses, légères, attrayantes. Agréables, en somme, mais aussi secrètes et peu engageantes.

La chambre de James était aménagée dans une dépendance au fond du jardin. Il me précéda sur la pelouse, mes deux valises à la main. J'étudiai son dos, promenai mes yeux sur ses jambes, ses bras, ses mains. Il paraissait changé. Ou peut-être simplement plus dans son élément. Plus lui-même. À chaque foulée, ses pieds semblaient se poser à un endroit fait pour eux. Je le suivis dans mes bottes en cuir qui piétinaient le gazon avec lourdeur. Dans sa chambre, je m'assis sur le lit double, à seulement quelques centimètres du sol, soudain fatiguée. Un peu triste, aussi. Il déposa mes valises et, les mains sur les hanches, me considéra.

— Fatiguée?

J'acquiesçai de la tête.

— Tu vas réussir à te doucher ou tu as besoin d'aide? demanda-t-il en souriant. Hmm, je crois qu'on demande du renfort, ici, reprit-il comme je ne répondais pas.

Il se jeta alors sur le lit près de moi et se mit à déboutonner mon chemisier.

Erica nous logea pendant près d'un mois. James avait trouvé un emploi saisonnier à l'aquarium sous-marin d'Auckland, avec une perspective de poste permanent après l'été. Ce n'était pas le travail de ses rêves, mais il lui permettait de payer les factures. De mon côté, je commençai à travailler sur mon livre, écrivant de courts passages. Lentement, la cellule unique de l'idée de base se divisait et prenait forme.

Erica s'absentait souvent plusieurs jours d'affilée pour des séjours chez des amis sur la côte ou des excursions, nous avions donc la plupart du temps la totalité de la maison pour nous tout seuls. Je passais des heures paisibles dans l'ombre de la véranda de derrière, en compagnie du vieux chat roux. En fin d'après-midi, je partais à pied acheter à manger. Nous dînions régulièrement dehors, généralement dans l'un des cafés de Ponsonby Road. Je m'accoutumais au confort et à l'espace, à l'atmosphère tranquille et généreuse, aux rues peu encombrées par la circulation. Je ne comprenais pas que les habitants se plaignent des embouteillages. Pour moi, Auckland s'apparentait à un embryon de ville, plus proche du potentiel que de la réalité. Dans les rues en contrebas, la Sky Tower se dressait tel un mât de drapeau marquant le centre d'une future métropole.

Après le dîner, nous regagnions le calme de la maison et nous asseyions dans les fauteuils en osier face au jardin tandis que le soleil couchant peignait la ville de couleurs spectaculaires : d'abord du rose, de l'or et de l'orangé, puis du pourpre et du mauve, qui finissaient par disparaître sous l'indigo de la nuit. Nous faisions l'amour dans le vieux lit de James, les portes en accordéon ouvertes sur le jardin. Et tout était comme avant.

— Je suis né au milieu de la mer. Toute ma vie, elle m'a entouré.

James était étendu sur le lit, nu. Les cigales chantaient bruyamment dans le jardin.

— Pour moi, la mer, c'est la vie. Les couleurs, l'odeur. J'en ai besoin.

Il se hissa sur ses coudes.

— Imagine une grande vague, un mur vert émeraude transparent, avec un banc de *kahawais* en train de chasser du fretin. Il n'y a rien de plus beau au monde.

Tendant le bras, il me fit rouler sur lui. Puis il prit mon visage entre ses deux mains et plongea ses yeux dans les miens.

— Je veux que vous appreniez à vous connaître toutes les deux, à vous aimer.

Le lendemain, il m'emmena à Piha pour le regarder surfer. J'avais vu des images des plages de la côte ouest de Nouvelle-Zélande. Elles apparaissaient dans des livres, des films. Des textes évoquaient leurs dangers, les mouvements sous-marins imprévisibles et les courants d'arrachement mortels qui se dissimulent sous une surface d'un calme trompeur, la force des vagues. Cependant rien ne m'avait préparée à cela.

Nous abandonnâmes la voiture, chargés des nattes, du panier de pique-nique et de la planche de surf de James. L'immensité était étourdissante. Il n'y avait ni limite ni fin. La plage s'étendait à perte de vue, seulement parsemée de quelques visiteurs qui formaient de petites taches sur le sable. Les mouettes planaient dans le ciel sans jamais s'approcher. Le soleil brûlant n'épargnait rien. La mer était partout. Dans l'eau jusqu'aux genoux, je sentais sa force effrayante me tracter par les chevilles, pousser, tirer, arracher, griffer. James riait. Sa bouche remuait mais le tonnerre implacable et inépuisable des vagues noyait sa voix. Il me tirait par les bras, m'éclaboussait, s'esclaffait et folâtrait tandis que, paralysée, je sentais la mer arracher le sable sous mes pieds.

Je retournai m'asseoir sur ma natte, un livre sur les genoux. Toutefois, je ne quittai pas James des yeux. Même lorsque je détachais le regard de la blancheur aveuglante de l'écume pour le poser sur les pages de mon livre, son image demeurait. Il était là, au large, petite silhouette noire debout sur une planche, gravé sur mes paupières, à piquer entre les vagues et disparaître pendant des minutes aussi longues que de courtes éternités. Les nageurs restaient regroupés entre les drapeaux, mais les surfeurs, eux, dérivaient vers la droite. Ce ne fut que lorsqu'il revint, ruisselant d'eau et de rire, que mes mains se détendirent enfin sur mon livre, engourdies et endolories.

Le mois de janvier fut chaud et ensoleillé, si bien que nous passâmes la plupart de nos week-ends à la plage. Mais jamais je ne réussis à m'y faire. La mer devint mon ennemie. Nous nous disputions le même homme.

En février, nous louâmes une maison à seulement quelques rues de chez Erica. Celle-ci ne contesta pas notre décision, pas plus qu'elle ne laissa transparaître une éventuelle déception ou satisfaction de nous voir déménager. Non sans une certaine culpabilité, je ressentis un profond soulagement quand nous nous retrouvâmes sous notre propre toit. Nous avions choisi une maisonnette ancienne typique du quartier de Ponsonby, avec un salon, une chambre, un bureau et un petit jardin laissé à l'abandon. De la véranda de derrière, nous pouvions apercevoir la mer en nous tenant debout et en étirant le cou.

Nous passâmes notre première soirée à la maison à fumer et à boire de la bière, assis par terre sur la véranda. Nous avions travaillé dur toute la journée, sous un soleil de plomb. Je me laissai envahir par une délicieuse fatigue, phy-siquement épuisée mais mentalement alerte. Et heureuse, tellement heureuse.

— Nous pourrions vivre ici pour le restant de nos jours, observa James. Avec des enfants, des chats et des chiens.

— Des enfants?

Je répétai ces mots, surprise d'envisager avec autant de sérénité l'idée d'enfants. De nos enfants.

— Oui, nos enfants, dit-il en se penchant pour m'embras-ser le ventre puis poser son oreille sur ma peau. C'est là que nous les planterons, juste là.

Je fermai les yeux et appuyai ma tête contre le mur, pas-sant mes doigts dans ses cheveux.

— Je veux que tout soit toujours comme ça, ajouta-t-il en faisant glisser ses mains sur mes jambes pour me caresser les cuisses et les mollets. Je t'aime.

Et mon corps écoutait de toutes ses cellules.

Tandis que le soleil se coulait sous la colline derrière nous, la ville abdiqua ses couleurs face à la nuit tombante. Les stridulations d'un millier de cigales nous enveloppèrent et le parfum de fleurs invisibles flotta dans l'air. Alors nous ne fîmes plus qu'un, l'un avec l'autre et avec la nuit. Comme nous reposions ensuite par terre, mon regard se porta sur la douce obscurité au-dessus de nous, où scintillaient des étoiles inconnues. Ma tête était appuyée sur son épaule, mon nez enfoui dans le creux de son cou. Je respirai son odeur, puis caressai mon ventre. Et songeai à nos enfants avec une confiance absolue dans l'avenir.

# 23

*... mais tout dans ma vie, tel le soleil qui luit,*
*et tout ce qui sombra dans la peine et la nuit,*
*tremble ce soir sur un flot de lumière.*

Le ciel s'était complètement dégagé et l'étendue d'herbe où la veillée de la Saint-Jean battait à présent son plein baignait dans le bronze du soleil vespéral. Des nuées de moustiques suivaient les danseurs autour du mât, exécutant leurs propres ballets aériens au-dessus des têtes. Les notes des violons et de l'accordéon se mêlaient aux cricris de criquets invisibles et à quelques piaillements d'enfants. Des rires s'échappaient des groupes de jeunes aux contours imprécis qui foisonnaient aux confins de l'espace vert, près de l'obscurité des arbres sombres.

— Voulez-vous que nous rentrions? demanda Veronika.

Astrid acquiesça d'un hochement de tête, acceptant les deux mains de la jeune femme pour se relever. Bras dessus, bras dessous, elles suivirent le cours de la rivière avant d'abandonner la berge pour emprunter le chemin en direction de l'église, croisant de temps à autre une voiture ou un vélomoteur.

— J'ai du hareng et du gravlax, dit Astrid. Voulez-vous que nous partagions un souper léger à notre retour?

— Avec grand plaisir, répondit Veronika, resserrant un peu son étreinte autour du bras d'Astrid.

Elles poursuivirent, couple solitaire s'éloignant des festivités à contre-courant. Les champs de pommes de terre se déployaient dans leur verte luxuriance de chaque côté du chemin, leurs plants buttés et leurs fleurs blanches en pleine éclosion. Comme elles approchaient de l'église, Astrid ralentit le pas.

— J'ai quelque chose à faire ici, dit-elle en indiquant l'édifice.

Elles remontèrent le sentier de gravier, puis Astrid ouvrit la marche pour contourner l'édifice jusqu'au cimetière qui se trouvait derrière. Elle s'avança alors vers la plus grande pierre tombale, entourée de pénombre à cette heure où les murs de l'église masquaient le soleil couchant.

La haute pierre sombre se dressait au centre d'un carré herbeux ceinturé d'une lourde chaîne en fer, que supportaient des poteaux plantés aux quatre coins de la pelouse. Un saule nain au feuillage prune ployait par-dessus la tombe, qu'aucune fleur n'égayait. Gravée dans le granit noir poli, une inscription indiquait qu'il s'agissait de la sépulture de la famille Mattson.

— Karl et Britta étaient mes grands-parents, expliqua Astrid, les yeux posés sur le premier groupe de noms. Comme vous pouvez le constater, ils sont morts à un an d'intervalle. Mon grand-père a acheté la fosse à perpétuité, dans le même esprit qu'il a bâti la ferme. Une maison pour la vie, une maison pour la mort. Toutes deux les plus imposantes du village. Mon père, Karl-Johan, est la seule autre personne enterrée ici.

Astrid changea de position, s'appuyant un peu plus lourdement sur le bras de Veronika.

— Ma mère a été inhumée à Stockholm. Je n'ai jamais vu sa sépulture.

Elle se tut et le bruit lointain des festivités flotta dans l'air.

— Je vais maintenant enterrer la toute dernière personne qui occupera cette tombe : mon mari. Ensuite, elle sera scellée à jamais.

Astrid tourna les talons, entraînant Veronika derrière elle. À pas lents, elles traversèrent le cimetière pour rejoindre le mur de pierre à l'autre extrémité. De ce côté, de petites plaques enchâssées dans l'herbe tenaient lieu de stèles. Astrid s'arrêta et s'agenouilla maladroitement, cramponnée à la main de Veronika. Elle essuya ensuite la plaque devant elle de sa paume.

— C'est ici que j'ai enterré ma fille. Et c'est ici que je reposerai, déclara-t-elle en indiquant l'espace libre à sa gauche. C'est notre maison.

Les deux femmes restèrent assises en silence. De temps à autre, Veronika chassait un moustique de son visage. Au bout d'un moment, Astrid entreprit de se relever.

— Je voulais que vous le sachiez. Je voulais vous montrer où repose ma fille, précisa-t-elle en reprenant le bras de la jeune femme. Et où je reposerai.

Elles regagnèrent la route dans la lumière aussi chaude que l'air. Des notes de musique résonnaient dans le lointain.

— Les fleurs. Vous devez cueillir votre bouquet de la Saint-Jean, rappela Astrid alors qu'elles s'engageaient sur le raidillon de la colline. Voyons si nous les trouvons toutes.

Elles prirent leur temps, quittant la chaussée pour s'enfoncer jusqu'aux genoux dans les herbes où pointaient les premières gouttes de rosée. Elles trouvèrent des jacinthes des bois, des violettes, des trèfles, des fléoles des prés, du muguet, des saxifrages granulées.

— J'en ai six, il ne m'en manque plus qu'une, dit Veronika. Il me faut à tout prix une achillée millefeuille.

Elle se pencha sur une touffe de fleurs blanches quelconques, au parfum légèrement médicinal, pour en cueillir une.

— Ça y est. Je les ai toutes.

Lorsqu'elles retrouvèrent le chemin de terre, chacune tenait à la main un petit bouquet de sept fleurs. Elles rentrèrent d'un pas tranquille, Astrid légèrement haletante.

Au moment de s'arrêter devant la maison de la vieille femme, Veronika posa son bras sur le sien.

— Je vais chercher du vin. Et mettre les fleurs sous mon oreiller, pour ne pas oublier.

Astrid acquiesça de la tête avant d'ouvrir son portail.

Lorsque Veronika réapparut, quelques minutes plus tard, elle apportait deux bouteilles de vin, l'une calée sous son bras et l'autre serrée dans sa main, ainsi qu'un petit lecteur de CD portatif qu'elle tenait dans son autre main. Astrid, occupée à laver des pommes de terre nouvelles dans l'évier, avait déjà arrangé son petit bouquet dans un verre, sur la table.

— Le mien n'a pas sa place sous mon oreiller. C'en est fini des rêves pour moi.

Après avoir posé les bouteilles, Veronika brancha la petite platine.

— Je me suis dit que vous pourriez la garder. La plupart du temps, j'écoute la musique sur mon ordinateur.

Astrid se tourna vers elle, une pomme de terre dans une main et une petite brosse dans l'autre.

— Je ne voulais pas m'avancer sur vos goûts musicaux, alors j'ai apporté plusieurs disques, ajouta Veronika. Celui-ci, c'est Brahms.

Comme la musique générée par le petit appareil emplissait la cuisine, Astrid quitta l'évier pour s'asseoir lentement sur une chaise. Elle tenait toujours entre ses mains la pomme de terre et la brosse, qui gouttaient sur ses genoux.

— Qu'est-ce que c'est? demanda-t-elle d'une voix basse. Cette musique, qu'est-ce que c'est?

Veronika l'observa, interloquée.

— C'est la « Sonate pour violon et piano n° 3 » en *ré* mineur.

Tandis que retentissaient les premières notes du deuxième mouvement, Astrid posa la pomme de terre et son ustensile sur la table pour joindre les mains sur son giron.

— Ma mère l'écoutait si souvent que j'en connaissais chaque mesure. Mais tant de temps a passé depuis. Tant de silence.

Elle ferma les yeux, visiblement absorbée dans une écoute attentive. Lorsque le dernier mouvement s'acheva, elle rouvrit les paupières.

— Il y a l'hoya aussi.

Ses yeux se posèrent sur la plante sur l'appui de la fenêtre, dont les longues tiges, garnies de fleurs en ombelle roses, encadraient tout un battant.

— Les premières fleurs ont éclos l'autre jour. Ces boutons, vous les avez vus? Si durs, et polis comme des perles. Jamais on ne s'imaginerait qu'ils renferment une douceur de velours. Et un parfum si délicat.

Elle se tourna vers Veronika.

— Excusez-moi, c'est la musique. La dernière fois que je l'ai entendue, c'était il y a plus de soixante-dix ans. Pourtant, aujourd'hui qu'elle me revient, je m'aperçois qu'elle était toujours là. Dans mon cœur. Toutes ces années, je l'avais là, en moi, et je ne le savais pas.

Elle posa sa paume sur sa poitrine, laissant une marque humide sur sa chemise.

— Ma mère l'écoutait souvent sur son phonographe. Le deuxième mouvement était son préféré. Elle le passait en boucle. Elle me disait de bien écouter. Elle disait que la musique contenait toute la beauté du monde. Elle m'asseyait sur ses genoux et je collais mon oreille contre sa poitrine. J'avais alors l'impression que la musique surgissait de son corps.

Astrid ramassa la pomme de terre qu'elle avait abandonnée sur la table.

— Pourriez-vous la remettre, s'il vous plaît? demanda-t-elle en se levant pour regagner l'évier.

Et tandis que la sonate de Brahms envahissait la cuisine, elles préparèrent leur dîner de la Saint-Jean.

Après le repas, elles restèrent assises près de la table, la fenêtre ouverte sur la nuit d'été. Astrid avait allumé une spirale antimoustique sur son rebord et une mince traînée de fumée montait paresseusement vers le plafond, mêlant son odeur âcre au doux parfum miellé de l'hoya.

— Pourriez-vous remettre le deuxième mouvement, s'il vous plaît, Veronika? demanda-t-elle. Juste une dernière fois.

Elle tendit la main, effleurant des doigts le bouquet de la Saint-Jean dans son vase improvisé. Ses pupilles demeurèrent rivées sur les fleurs lorsque la musique enfla de nouveau.

Quand elle se rassit, Veronika s'appuya contre le dossier de sa chaise et, les paupières closes, fit tourner son verre de vin dans sa main. Lorsque la musique se tut, les deux femmes demeurèrent immobiles. Puis Astrid retira sa main du bouquet de fleurs et leva les yeux.

— J'ai tué la musique, dit-elle. Et j'ai tué mon enfant.

# 24

*... car rien ne meurtrit plus que toi.*

## Astrid

Je mourus cette nuit d'été.

Je m'assis dans l'herbe derrière la maison, mon enfant dans les bras. Les trèfles blancs sentaient le miel en cette heure de l'après-midi qui prête à la somnolence et aux doux rêves d'été. J'allaitai ma fille jusqu'à ce qu'elle s'endorme sur ma poitrine. Ses lèvres laissèrent échapper mon mamelon et sa tête se renversa légèrement sur mon bras. Un filet de lait coulait à la commissure de sa bouche entrouverte. Je l'essuyai du doigt, puis passai mon auriculaire sur ses gencives tendres, y détectant la pointe de deux nouvelles dents, comme deux grains de riz incrustés. Ses paupières fermées formaient un voile ténu sur ses yeux noirs. Parfois, elles papillonnaient et un frémissement dessinait sur ses lèvres des sourires fugitifs et secrets.

Quand j'entendis ses pas sur le perron, je me levai et m'éloignai dans la prairie pour descendre la colline, ma fille dans mes bras. Je lui parlais. Je lui montrais les fleurs, les abeilles et les hirondelles là-haut dans le ciel. Je la tenais tout contre mon cœur, ses lèvres sur ma peau.

Je pris d'abord le chemin de la rivière, mais je me ravisai et remontai la colline. L'herbe haute chuchotait contre mes jambes et je lui murmurai que les jacinthes des bois commençaient à fleurir. Je traversai les prairies et m'enfonçai dans la forêt. La lumière était douce, l'air immobile sous les branchages, imprégné d'une odeur de résine. La mousse moelleuse étouffait mes pas. Nous passâmes devant le grand bloc de granit, mais, cette fois, je ne m'arrêtai pas. Je n'avais plus de prière à lui adresser. Une fois dans la clairière, je m'assis dans l'herbe soyeuse, où les fleurs blanches des fraisiers sauvages venaient d'éclore. Je berçai mon enfant dans mes bras en lui fredonnant tout mon répertoire de chansons. Je l'installai ensuite confortablement sur mes genoux, sa tête sur mes cuisses et ses pieds contre mon ventre. Ses poings serraient mes doigts. Après avoir contemplé ses yeux noirs, je me penchai pour poser ma bouche sur son front et soufflai tendrement. Puis j'effleurai des lèvres le sommet de son crâne, sentant son pouls à travers la membrane duvetée.

Quand le soleil disparut derrière le mur d'arbres, nous nous étendîmes dans l'herbe. L'air se rafraîchissait, la forêt se peuplait des murmures de la nuit imminente, du bruissement étouffé des feuilles au réveil d'animaux invisibles. Mon enfant dormait dans mes bras, son souffle si léger que je devais coller mon oreille à sa bouche pour le percevoir.

Alors je plaquai ma main sur son visage et la nuit blanche nous engloutit.

Je restai ensuite assise, à la bercer. À hurler dans la nuit jusqu'à en perdre la voix. Puis le calme retomba.

Aux premières lueurs de l'aube, je rentrai à la maison avec son cadavre dans mes bras. Je montai directement à la salle de bains pour la déshabiller. Son corps était léger, sa peau très pâle. Je la nettoyai avec de l'eau dans le creux de ma main. Des gouttes tombaient comme des larmes dans la petite flaque au fond du lavabo. Après sa toilette, je l'emmaillotai dans une douce serviette de bain pour l'emmener dans la chambre, où je sortis sa robe de baptême. Je l'habillai, coiffai ses cheveux mouillés. Puis je la serrai contre moi et caressai sa tête. Quand je posai de nouveau mes lèvres sur son crâne, je ne sentis rien d'autre qu'un léger parfum de savon.

Je la déposai dans son berceau, lissai sa couverture. Puis je descendis et entrai dans la cuisine, où était attablé mon mari.

— Ton enfant est mort, annonçai-je.

Il n'y eut alors plus que le silence.

# 25

*Le chagrin, son ombre dans la pièce*
*ne tourne pas avec le soleil*
*ne se change pas en crépuscule*
*à la tombée de la nuit.*

Le visage d'Astrid était livide. Bien que secs, ses yeux reflétaient une telle douleur que Veronika dut détourner le regard. Elle se leva, contourna la table et, tout en douceur, hissa Astrid sur ses pieds. Elle la prit alors dans ses bras et, la serrant fort contre elle, lui chuchota tout bas à l'oreille :

— Oh, Astrid. Ma très, très chère Astrid.

Elle passa sa main dans les cheveux gris de la vieille femme, puis recula d'un pas pour la regarder dans les yeux. Astrid s'écarta vers la fenêtre avec une aspiration brusque et, les mains plaquées sur sa bouche, tenta d'étouffer le son qui montait de sa gorge. Un cri de souffrance si profonde qu'il en était insoutenable. Insupportable à libérer et insupportable à entendre. Sans s'en rendre compte, Veronika porta ses mains à ses oreilles, les y laissant un moment avant de les ramener sur sa bouche dans un effort pour contenir les sanglots qui s'en échappaient. Elle s'avança jusqu'à se trouver juste derrière Astrid, puis l'enlaça. Elles demeurèrent ainsi à la fenêtre, serrées l'une contre l'autre, tandis que le soleil se levait et jetait ses premiers rayons à travers la table, où les fleurs de la Saint-Jean reposaient dans leur petit vase.

Peu à peu, les sanglots incontrôlables d'Astrid laissèrent place à un infime mouvement de balancier de leurs deux corps. Comme elle tendait une main tâtonnante vers le dossier de sa chaise, Veronika lui relâcha les épaules et elles se rassirent.

— Depuis cette nuit, je ne me suis jamais autorisée à pleurer sur ma fille, murmura Astrid. Jamais. Ni à son enterrement, ni à son premier anniversaire, ni jamais.

Elle posa ses mains sur sa bouche, comme pour essayer d'interrompre le flot de paroles. Quand elle les laissa retomber sur la table, ses lèvres s'ouvrirent de nouveau.

— Et je n'ai jamais pleuré sur moi non plus. Ni sur la petite fille que j'étais ni sur la jeune femme que je suis devenue.

Elle marqua une pause avant de conclure :

— Sans espoir de réconfort, les larmes ne servent à rien.

Elle quitta sa chaise et rejoignit le poêle pour saisir un torchon, avec lequel elle s'essuya les yeux. Ses pupilles se fixèrent sur la fenêtre tandis que ses mains tordaient le tissu.

— Je ne me suis jamais autorisée ne serait-ce qu'à l'évoquer. J'ai enterré toute pensée avec ma fille. C'est une souffrance si…

Elle pressa le torchon contre sa bouche.

— Vous comprenez, c'était moi. Rien que moi, toujours. Parce que mon amour n'était pas assez fort.

Elle retourna s'asseoir à pas lents.

— Comment pouvais-je en être sûre ? Comment pouvais-je être sûre que je serais assez forte. Or, sans cette certitude, tout risquait de recommencer. Je crois que c'est ça. Mais ce n'est peut-être pas vrai, après tout. Ce n'est peut-être pas mon amour qui n'était pas assez fort, mais ma haine qui l'était trop.

Elle regarda droit devant elle. Son profil se découpait sur la lumière de la fenêtre.

— Or cette pensée m'est insupportable, conclut-elle à voix basse.

Elle se tourna vers Veronika.

— Je regrette que vous ayez eu à voir ça. À entendre ça.

Veronika lui effleura la joue du bout des doigts.

— Venez, je vais vous aider à vous coucher, proposa-t-elle.

Elles gravirent lentement les marches, Astrid appuyée au bras de la jeune femme, sa main libre sur la rampe. Elle s'étendit sur le lit tout habillée. Veronika remonta une couverture sur elle, puis, après lui avoir effleuré de nouveau la joue, traversa la pièce jusqu'à la fenêtre pour tirer le store. Lorsqu'elle se retourna, Astrid avait fermé les yeux. Son visage était très pâle. Veronika s'assit dans le fauteuil près de la fenêtre. Seul un sanglot troublait de temps à autre le silence de la chambre baignée par la lueur de l'aube, bas et étouffé comme celui d'un enfant qui a pleuré jusqu'à l'endormissement.

Mais Astrid ne dormait pas. Elle s'était tournée sur le flanc et, les mains glissées sous son oreiller, regardait Veronika.

— Je n'ai jamais parlé à personne de cette nuit, dit-elle. Jamais. Et maintenant que j'entends mes propres paroles, je me rends compte qu'elles racontent une histoire différente de celle que j'ai portée durant toutes ces années, observa-t-elle en refermant les paupières. Je crois que si nous arrivons à trouver les mots, et à trouver quelqu'un à qui les dire, nous pouvons peut-être voir les choses autrement. Mais je n'avais pas les mots, et je n'avais personne.

— Oui, convint Veronika. Je devrais peut-être essayer de trouver les mots, moi aussi. J'ai beau être écrivain, les mots ne me sont jamais venus aisément. Ils n'émergent qu'à grand-peine, et qu'à l'écrit. Je suis arrivée ici avec un manuscrit à écrire. Je crois qu'un livre verra peut-être le jour, mais pas celui que j'attendais.

Elle considéra Astrid. Elle n'aurait su dire si elle dormait. Le visage blanc aux paupières closes n'exprimait pas la moindre émotion. Malgré tout, elle poursuivit :

— Voyez-vous, je me suis envolée vers la Nouvelle-Zélande avec l'idée de reprendre plus ou moins là où j'avais laissé mon dernier livre. Avec l'idée d'écrire sur l'endroit, la maison, sur l'amour et la façon dont il donne à chacun sa place. Mais ce n'était pas aussi simple. D'abord, il fallait que je me donne – que je nous donne – le temps de nous installer. Je devais développer mon propre regard sur le monde de James. Et je pensais avoir tout le temps.

Elle se tut, scrutant l'espace qui la séparait de la vieille femme.

Astrid rouvrit les paupières pour la fixer droit dans les yeux. Alors, Veronika reprit :

— Laissez-moi vous raconter quand le temps s'est arrêté pour moi.

# 26

*Je murmure « Oui » et « Toujours » tandis qu'étendue
J'attends le tonnerre sous un ciel de pierre.*

## Veronika

C'était le premier week-end de novembre et le retour
de l'été, qui ne s'était jamais vraiment retiré. Les jours
étaient chauds, mais les nuits encore fraîches. Il était tôt ce
samedi matin.

Étendue dans le lit, j'attendais tranquillement que James
se réveille. Je pressai ma jambe contre la sienne, absorbant
sa chaleur à travers ma peau. Il était couché sur le ventre,
les bras en croix, l'un pendant du lit et l'autre en travers de
ma poitrine. Il respirait d'un souffle léger, presque inaudible. J'entendis le glissement du journal du matin dans la
boîte aux lettres à travers la fenêtre entrebâillée de quelques
centimètres. Il faisait jour dehors, mais je n'avais pas encore
appris à interpréter les nuances de luminosité, la clarté d'un
mois de novembre dans l'hémisphère sud. Entre fin de printemps et début d'été, ce novembre-là ne ressemblait à aucun
de ceux que j'avais connus auparavant. Ici, été et hiver
semblaient inextricablement liés : l'été s'invitait au milieu de
l'hiver, l'hiver au milieu de l'été. Il n'y avait ni automne ni
printemps, ni temps pour l'attente heureuse, ni temps pour

le souvenir. Rien que le présent. Ou peut-être n'avais-je tout simplement pas encore développé la sensibilité requise pour distinguer les subtils changements de saison. Il me restait encore trois mois inexplorés avant que s'achève ma première année en Nouvelle-Zélande.

Une rupture presque imperceptible dans le rythme respiratoire de James m'informa de son réveil. Sa main remua sur ma poitrine et se referma sur mon sein. Je me retournai vers lui au moment où ses yeux s'ouvrirent.

Ses yeux. Ils restaient toujours grands ouverts quand nous faisions l'amour, ancrés dans les miens. Comme ceux d'un enfant, ils exprimaient la moindre modulation de ses émotions : la passion, le plaisir, l'excitation, la tendresse. Et la joie, toujours la joie.

Nous nous attardâmes au lit jusqu'à ce que la faim nous en chasse. Dans la cuisine, nous ouvrîmes les portes sur la véranda et dégustâmes nos toasts et notre café dehors. Le ciel était dégagé, seuls de rares nuages vaporeux se dissolvaient dans le vent fort. Malgré la fraîcheur matinale, la journée s'annonçait chaude.

— Quelle belle journée ! observa James, debout sur les marches qui descendaient au jardin, les yeux sur le ciel. Et si nous allions à la plage ?

Suivirent alors les mots qui allaient tout changer. Mes mots.

— D'accord.

Ces deux mots-là. J'aurais pourtant pu en choisir tant d'autres. J'aurais pu dire : « Non, prenons plutôt le ferry pour aller faire du vélo sur l'île de Waiheke. » Ou : « Et si nous marchions jusqu'à Cox's Bay ? » Ou encore : « Nous pourrions descendre à pied en ville pour aller au musée et au restaurant. » Ou simplement : « Non, je n'ai pas très envie d'aller à la plage. » J'aurais pu dire : « Je crois que j'attends un enfant. »

Mais je m'en tins à ces deux mots : « D'accord. »

Pendant que je prenais ma douche, James s'attela à préparer le déjeuner : du pain, des œufs, des olives, des tomates, des moules, du fromage, de la bière et de l'eau. Depuis l'embrasure de la porte, je le regardai tout rassembler. À voir ainsi ses mains, je fus saisie d'un violent désir de les prendre entre les miennes et de les poser sur mon corps. Il m'adressa un large sourire et fourra une olive dans sa bouche.

En chemin, nous nous arrêtâmes dans une station-service pour faire le plein d'essence et acheter un pain de glace pour garder le pique-nique au frais. Nous roulâmes vers l'ouest dans une circulation clairsemée. Lorsque nous quittâmes la route principale pour descendre la pente raide et sinueuse qui conduisait à la plage de Karekare, je fus une fois de plus frappée par la vue. Les broussailles d'une verte luxuriance évoquaient la forêt tropicale, en dépit de différences marquées. Le paysage paraissait neuf, brut, tout juste créé, et en même temps préhistorique et sauvage. J'avais l'impression de pouvoir en déceler la structure, le relief qui avait précédé tout peuplement.

Au bout de la route, des petites maisons arboraient des plates-bandes de pétunias et de géraniums rebelles. Ces charmantes demeures paraissaient en décalage total avec cet environnement austère. Même par une journée si belle et si joyeuse du début de l'été, Karekare offrait un spectacle qui hantait, terrifiait. Or ces maisonnettes, qui semblaient avoir été conçues pour un cadre sûr et ordinaire, détonnaient dans ce décor. C'était, songeai-je, un endroit à admirer plus qu'à aimer. Un endroit qui inspirait une réaction spirituelle, une intuition aiguë de l'insignifiance de l'homme.

Après avoir garé la voiture, nous la déchargeâmes et, les bras remplis, traversâmes à gué le ruisseau pour rejoindre le sable noir, déjà chaud sous nos pieds. La plage était presque vide, en dehors de quelques sauveteurs rassemblés autour d'un quad et d'un canot de secours pneumatique. Les drapeaux étaient hissés.

Les vagues s'écrasaient sur le sable et une fine gaze d'embruns estompait l'étendue miroitante de l'eau. Nous déployâmes nos nattes, puis James ouvrit le parasol, qu'il planta fermement dans le sable. Nous nous assîmes un moment pour contempler la mer. Les mouettes criaient au-dessus de nos têtes. Une fois de plus, mes mots auraient pu tout changer.

— Partante pour une petite baignade? me demanda James.

J'aurais pu dire : « D'accord, pour une fois je crois que je vais venir. » Ou : « Oui, mais seulement jusqu'aux genoux. » Ou j'aurais pu dire : « James, je crois que j'attends un enfant. » Au lieu de quoi, je répondis :

— Je vais rester ici pour lire.

Il enfila sa combinaison et se rassit un moment à côté de moi. J'étais couchée sur le ventre, mon livre ouvert sous mes yeux. J'envisageais d'entremêler le récit du *Loup-garou*, d'Aksel Sandemose, et celui de mon roman, j'en faisais donc une lecture attentive, crayon à la main, concentrée sur la structure.

— Elle est parfaite, observa James en étudiant la mer avec un plissement d'yeux.

Je basculai à moitié, appuyée sur le coude, pour suivre son regard, puis me rallongeai aussitôt.

— On déjeunera à mon retour.

Je le sentis alors se pencher sur moi et déposer un baiser sur ma nuque. Je souris, mais je ne me retournai pas. Je ne le vis pas prendre sa planche et marcher d'un pas nonchalant jusqu'à la mer. Je ne le vis pas entrer dans l'eau, dériver vers le large et prendre sa première vague.

Vous avez observé, Astrid, qu'il est impossible de dire comment on sait que l'été a atteint son zénith. Le soleil est toujours aussi haut dans le ciel, l'eau toujours aussi chaude, l'herbe toujours aussi verte. Pourtant, on le sait, tout simplement.

Je lus un peu, étendue sur ma natte, puis je posai ma tête sur mes bras croisés et m'assoupis. Je me réveillai soudain, aussi brusquement que si l'on m'avait plongée dans l'eau glaciale. Je savais. Pas parce qu'il s'était écoulé beaucoup de temps, ni parce qu'il y avait des alertes ou des cris sur la plage. Le ciel était toujours bleu, les mouettes tournoyaient toujours à une hauteur vertigineuse. Au bord de l'eau, une femme jouait avec un chien sur le miroir plat du sable mouillé. Pourtant, je savais.

Je me redressai et, les mains en visière au-dessus de mes yeux, observai la mer. Un petit groupe de nageurs barbotait entre les drapeaux, quelques autres un peu plus loin. Deux ou trois jeunes poursuivaient un frisbee. Mais il n'y avait pas de surfeur.

Mon corps s'ébranla en silence. Mes pieds battirent le sable noir tandis que je prenais de la vitesse en direction des sauveteurs. Je courais à toutes jambes, mais le monde autour de moi avançait au ralenti, me freinait. Un premier sauveteur se tourna vers moi, puis avertit à grands cris ses collègues, qui mirent promptement le canot de secours à l'eau avant de sauter à bord. Mais, pour moi, tout cela se déroula dans un silence absolu et à une insupportable lenteur.

Je me ruai vers la mer, les yeux cloués sur l'embarcation orangée qui zigzaguait sur les déferlantes. Plusieurs personnes s'attroupèrent autour de moi, mais elles se trouvaient dans un autre monde, de l'autre côté d'un abîme gigantesque qui engloutissait tous les sons. Mes pieds soulevaient des éclaboussures tandis que je courais au bord de l'eau pour suivre le canot. Une jeune fille avec un T-shirt jaune de sauveteur me rejoignit, son bras tendu pour attraper le mien. Au large, le bateau disparaissait dans le creux des vagues. Je pilai, de l'eau jusqu'aux chevilles. Alors que mes dents se mettaient à claquer, la sauveteuse passa un bras autour de mes épaules et nous attendîmes en silence, les yeux rivés sur la mer rugissante, où l'embarcation n'était plus qu'un point orangé.

J'eus l'impression que tout devenait immobile, que ma respiration s'arrêtait. Puis le canot reparut, piquant entre les vagues pour en émerger chaque fois plus près du rivage. Soudain, je devinai l'absence d'urgence. Ce n'était déjà plus une opération de sauvetage.

Ils le transportèrent jusqu'au poste de secours de fortune et l'enveloppèrent dans une couverture. Il n'y eut ni tentative de réanimation cardio-pulmonaire, ni bouche-à-bouche.

Lorsque les sauveteurs s'écartèrent, je m'effondrai à genoux, les mains tendues vers lui. Je léchai l'eau salée sur ses paupières, collai mon oreille à sa poitrine, murmurai tout contre lui les mots de notre vie entière, approchai mon oreille de sa bouche dans l'attente d'une réponse. Au-dessus de nous, le soleil impitoyable. Et le monde qui tourbillonnait, incompréhensible, autour de nos deux êtres d'immobilité. Puis le fracas violent de la mer victorieuse.

Une petite coupure lui entamait la peau au-dessus du sourcil gauche, une profonde déchirure s'étirait le long de son bras gauche. C'était tout. Sa tête avait roulé vers moi. Je posai mes mains sur ses joues, me penchai pour presser mon visage contre le sien, me couchai près de lui, lui caressai les cheveux.

On finit par me relever tout en douceur et la jeune fille au T-shirt jaune m'entoura les épaules d'une couverture. Des gens s'étaient rassemblés tout autour, leurs visages comme des lunes pâles, en pleurs pour certains. On le déposa sur un brancard et on le porta jusqu'au *club-house*. Je suivis à pas lents, surprise de voir d'autres courir. Des voix s'élevaient, des cris. Je notai toute cette agitation avec un détachement étonné.

Je m'assis dans le *club-house* vide devant une tasse de thé bouillant. Tout autour, le monde continuait de tourner, mais sans moi. C'était comme si une lourde porte s'était fermée avec un soupir, me laissant dehors, seule. Je me souvenais du matin, de l'amour, des préparatifs, du trajet jusqu'à la plage, mais tout cela semblait remonter à une autre époque. À l'époque où j'étais encore en vie.

# 27

*Mais alors je veux être seul,*
*bercé par le flot de lumière*
*jusqu'au repos paisible,*
*où n'est ni mal ni bien.*

Astrid gisait, immobile. Des larmes ruisselaient sur son visage jusque sur son oreiller, mais elle ne cherchait pas à les essuyer, les mains résolument nichées sous le coussin. Veronika se leva et remonta le store. Dehors, le soleil réveillait gentiment le vent. La lumière se réfléchit sur son visage. Elle ferma les yeux.

— La nuit la plus courte de l'année, dit-elle. La nuit du solstice d'été. Et voici le jour nouveau.

Se retournant, elle s'approcha du lit et se pencha pour déposer un rapide baiser sur le front d'Astrid. La vieille femme extirpa sa main de sous l'oreiller pour lui caresser la joue, mais pas un mot ne franchit ses lèvres. Veronika s'éloigna. Au moment d'ouvrir la porte, elle jeta un coup d'œil par-dessus son épaule, mais Astrid avait ramené la couverture sur elle et s'était tournée vers le mur. Elle referma le battant doucement derrière elle.

Le lundi suivant le week-end de la Saint-Jean, Veronika conduisit Astrid à la maison de retraite pour un rendez-vous avec l'entrepreneur des pompes funèbres. Celui-ci avait d'abord proposé à la veuve de la recevoir dans son bureau en ville, à une bonne heure de route, ou encore de se rendre chez elle. Mais Astrid avait insisté pour qu'ils se rencontrent à la maison de retraite. En terrain neutre, peut-être.

Lorsque Veronika avança la voiture jusqu'à sa grille, la vieille femme l'attendait déjà sous le porche. Elle descendit son allée dans son uniforme habituel, pantalon et ample chemise. Toutefois, elle paraissait plus sereine. Ses cheveux étaient dégagés de son visage, ses yeux perçants et très bleus lorsqu'elle les posa sur Veronika.

— Merci, dit-elle avant de s'installer à la place du passager.

Elles disposaient de plus de temps qu'il ne leur en fallait pour parcourir le chemin, aussi Veronika avait-elle décidé d'emprunter un itinéraire légèrement plus long, par la vieille route qui serpentait à travers les petits villages. Des fleurs sauvages recouvraient les bas-côtés et les bosquets de bouleaux agitaient leurs jeunes têtes vertes dans l'air avec des bruissements. Chaque petit village avait érigé son mât de la Saint-Jean, qui trônait encore au cœur des maisons.

Malgré leurs dix minutes d'avance, l'entrepreneur les attendait déjà sur le perron lorsqu'elles arrivèrent à la maison de retraite. D'âge moyen, il avait d'épais sourcils broussailleux et une barbe qui compensaient une calvitie totale. En chemisette blanche à col ouvert et pantalon léger, il affichait une tenue décontractée, quoique étrangement de circonstance. Il leur offrit une poignée de main ferme et professionnelle.

Ils s'installèrent dans le coin réservé aux visiteurs, près de l'accueil. L'infirmière leur proposa du café, qu'ils refusèrent tous les trois. Astrid confirma qu'elle désirait une cérémonie religieuse et la date fut fixée au vendredi suivant. Comme l'entrepreneur abordait des questions plus précises, la vieille femme l'arrêta d'un geste de la main :

— Je vous laisse vous en occuper, dit-elle. La cérémonie ne m'intéresse pas. Je ne demande qu'une chose : qu'elle ait lieu à l'église du village. Pas de crémation. Une inhumation, c'est tout. Dans la tombe de la famille Mattson.

L'homme prit des notes sans émettre le moindre commentaire et l'affaire fut réglée en un quart d'heure.

Alors qu'elles s'apprêtaient à partir, l'infirmière s'avança vers elle avec un sac en plastique.

— Les effets personnels de M. Mattson, annonça-t-elle en tendant le sachet.

Astrid recula d'un petit pas, les mains sur la poitrine, puis secoua la tête.

— Faites-en ce que vous voulez, je n'en veux pas.

Si l'infirmière se raidit ostensiblement, elle n'insista pas. Avec un mouvement du menton, elle força un pâle sourire et alla se réfugier derrière le bureau de l'accueil. Veronika considéra le sac qu'elle avait abandonné par terre près de sa chaise, aplati sur le sol, à l'évidence presque vide.

Elles rentrèrent sans se presser, par l'autoroute cette fois, vitres ouvertes. Le soleil de midi brillait haut dans le ciel. Devant elles, la route s'étirait, désertée, miroitant dans la chaleur.

— Si nous allions nager? proposa Veronika en jetant un coup d'œil à Astrid.

La vieille femme lui retourna son regard avec un haussement de sourcils surpris.

— Nager?

Elle détourna la tête, se concentrant sur le paysage qui défilait devant elle. Ses cheveux volaient autour de son visage et son bras reposait sur la portière.

— Oui, finit-elle par répondre sans quitter des yeux la campagne. Faisons donc ça. Allons au lac.

Elles s'arrêtèrent chez elles pour prendre des draps de bain. Veronika leur confectionna des sandwichs et Astrid remplit sa thermos bleue de café.

Aucune autre voiture ne stationnait au bout de la route étroite qui descendait vers le lac, cependant elles remarquèrent deux vélos, dont un d'enfant. Le banc de sable leur parut d'abord complètement désert, mais elles aperçurent bientôt une femme et un petit garçon au bord de l'eau, de l'autre côté du lac. Elles étendirent leur couverture et s'assirent hors de vue des nageurs. Aucun signe de vie humaine ni aucun bâtiment n'était visible sur les rives. La forêt sombre se reflétait sur la surface immobile. L'eau tranquille léchait le sable rouge. Veronika retira son short et son T-shirt, révélant un maillot de bain une pièce vert. Astrid s'assit tout habillée, dans son pantalon et sa chemise blanche, mais pieds nus, les jambes étendues devant elle. Elle sortit ensuite de son sac un chapeau de soleil en coton décoloré, qu'elle enfonça sur sa tête. Puis elle reposa ses mains sur son giron et contempla la surface lisse.

— Vous ne venez pas? l'interrogea Veronika en se levant.

Astrid se contenta de secouer la tête, les yeux fixés sur un point à l'autre bout du lac. Veronika entra dans l'eau, traversant à pas prudents une étendue de galets avant de fouler du sable doux. Quand le niveau atteignit ses genoux, elle se retourna pour adresser à Astrid un signe de la main qui demeura sans réponse. L'eau, chaude, était colorée d'un brun doré par le sol riche en minéraux. Elle voyait ses pieds à travers, déformés et jaunes. Elle continua à avancer, s'enfonçant un peu plus à chaque pas. Quand elle fut immergée jusqu'à la taille, elle s'allongea et nagea. Elle se tourna sur le dos pour faire la planche, portée par l'eau qui glissait comme de la soie sur sa peau. Au-dessus, le ciel s'arrondissait, infini et éclatant de bleu. Elle pivota pour plonger, puis refit surface, un goût métallique sur les lèvres.

Lorsqu'elle regagna la couverture, où Astrid était toujours assise dans la plus grande immobilité, elle secoua ses cheveux et de fines gouttelettes aspergèrent la vieille femme.

— Vous devriez y aller, elle est délicieuse!

Astrid demeura muette, le regard sur l'étendue d'eau. Ce ne fut que lorsque Veronika s'assit qu'elle se tourna vers elle, l'ombre d'un sourire dans les yeux.

— Je n'ai pas de maillot de bain, dit-elle. Et je ne sais pas nager.

Veronika s'étendit sur la couverture et ferma les yeux au soleil.

— C'est mon anniversaire, la semaine prochaine. Nous pourrions aller en ville, faire quelques emplettes, vous trouver un maillot. Et puis, sur le chemin du retour, nous pourrions déjeuner dans un petit endroit dont j'ai entendu parler, fêter un peu l'événement.

Elle se hissa sur ses coudes.

— Vous voulez bien m'aider à fêter mon anniversaire?

Astrid ne répondit pas. Elle s'appliqua à verser du café dans deux tasses en plastique. Après avoir refermé la thermos et tendu un gobelet à Veronika, elle releva enfin la tête.

— Avec grand plaisir. Après l'enterrement. Nous irons après l'enterrement. Et j'achèterai un maillot de bain.

Elle leva sa tasse, enfourna un morceau de sucre dans sa bouche et sourit, les lèvres pincées.

— Et nous fêterons ça.

— L'enterrement…, répéta Veronika d'une voix lente.

Elle se redressa, considéra Astrid.

— Vous avez peur?

La vieille femme reprit sa position initiale, les jambes tendues devant elle, les yeux sur la vaste surface du lac. Lentement, elle balança la tête d'un côté et de l'autre.

— Non. Je n'ai pas peur. Et je ne suis pas triste. Plus maintenant. C'est terminé. La cérémonie sera le point final. Après ça, la page sera tournée.

Elle avait posé sa tasse sur le sable.

— J'ai compris que c'était de moi que j'avais peur. Me tenir au chevet de mon mari, le regarder rendre son dernier souffle, c'était aussi facile que de souffler une bougie.

Elle marqua une pause, les pupilles sur le lac.

— Je n'avais plus de raison d'avoir peur, déclara-t-elle avant de se tourner vers Veronika. Parce que ça ne venait pas de lui, mais de moi.

Veronika s'allongea, les paupières closes, creusant le sable de ses doigts.

— On m'a dit, un jour, que les enterrements apportent un certain réconfort, observa-t-elle. Que le rituel permet

169

aux proches éplorés de faire le deuil. Ça n'a pas été le cas pour moi.

Elle se redressa en position assise et étendit les jambes à côté de celles de la vieille femme, les yeux, comme elle, posés sur les collines bleues de l'autre côté du lac, mais le regard absent.

— Rien ne pouvait me réconforter.

# 28

*Ô, comment apaiser mon cœur,*
*Ballotté du nord au sud?*

## Veronika

Elle marchait lentement, comme un funambule au-dessus d'un gouffre insondable. Lorsqu'elle s'approcha dans le long couloir de l'hôpital, je me levai, sentant le linoléum frais et lisse sous mes pieds nus. J'étais toujours en maillot de bain, une couverture sur les épaules. Mes jambes étaient couvertes d'une poussière de sel séché. J'avais froid, si froid que j'avais l'impression que rien ne me réchaufferait jamais. À mesure qu'elle avançait, je compris qu'elle ne me voyait pas. Son visage était blême, ses yeux vides. Une femme que je reconnus vaguement la suivait. Elle restait tout près, sans qu'il y eût toutefois de contact physique entre elles. Alors qu'une infirmière apparaissait pour les recevoir, les yeux d'Erica croisèrent les miens pendant une seconde. Je n'y décelai aucune lueur de reconnaissance et pas un mot ne franchit ses lèvres. Je levai les mains vers elle, mais les laissai aussitôt retomber lorsqu'elle se retourna vers l'infirmière, qui la guida par le coude dans la chambre. Je me rassis alors sur le banc.

Lorsque je rentrai à la maison, dans l'après-midi, j'enfilai le peignoir rouge de James et me couchai sur le lit. Puis j'enfouis mon visage dans son oreiller, dont le tissu conservait son odeur.

On l'enterra le mercredi. Le lundi avant la cérémonie, l'amie d'Erica passa me voir. Lorsqu'elle frappa à la porte, il me fallut plusieurs minutes pour comprendre. Ce son me paraissait aussi dénué de sens que tout ce qui se produisait dans le monde extérieur au crépuscule dans lequel je gisais. C'était un son sans importance, un son qui ne réclamait pas de réponse. Elle finit par utiliser la clé qu'Erica lui avait remise. Elle s'appelait Carolyn. Après avoir préparé du thé, elle s'assit sur le lit pour me parler. Elle me fit part des dispositions prises par Erica et me demanda si j'y voyais des objections. Je considérai son visage bienveillant, incapable d'établir le moindre rapprochement avec ses mots. Je serrai le peignoir contre moi sans réussir à me réchauffer.

Avec le recul, je regrette de ne pas avoir eu plus de temps. Il me semble que le deuil évolue à son propre rythme, qui ne saurait être précipité sans conséquences. Sans doute la guérison est-elle plus complète quand on lui donne le temps de suivre son cours. Dans mon cas, le crépuscule ne se leva jamais. Dans la maison, le temps prenait une autre dimension. Il n'y avait ni jour ni nuit, rien qu'une perpétuelle pénombre.

Le jour des obsèques, je remontai l'allée centrale derrière Erica et le père de James, qui avait pris l'avion depuis Londres. Toutefois, j'étais ailleurs, quelque part où la lumière ne pénétrait pas. Ils se tenaient par la main, couple uni dans la douleur. Je les vis, j'enregistrai tout, mais je me sentais étrangère à ce qui se déroulait autour de moi.

L'assistance réunissait des amis d'école, des camarades d'université, des collègues de travail, des proches. Tous semblaient avoir leur place dans le tissu de la vie de James. Je longeai des bancs remplis, pour la plupart, de parfaits inconnus. Un homme environ de l'âge de James se tourna vers moi quand je passai. Il pleurait, essuyant ses larmes du revers de la main. Je ne l'avais jamais vu auparavant, j'ignorais tout de son lien avec James, et lui ne connaîtrait jamais mon James à moi. Pourtant nous pleurions le même homme. Mes pas se firent de plus en plus légers, comme si je ne touchais plus le sol. Et j'avais toujours aussi froid.

J'avais refusé de faire une lecture, mais les mots du poème auquel j'avais songé passaient en boucle dans ma tête :

Tout, tout ce que je possédais
Était tien plus que mien.
Tous mes plus beaux desseins,
Tiens, tiens, tiens.

J'avais essayé de traduire le poème de Karin Boye, mais, alors que je me débattais avec les mots, j'avais soudain pris conscience qu'ils n'étaient destinés qu'à James et moi, si bien que toute traduction se révélait superflue. Ce texte n'avait rien à voir avec ces obsèques ni avec ces gens. Je pouvais le lui réciter par l'esprit, la langue n'avait pas d'importance.

Une réunion était organisée chez Erica au terme de la cérémonie. Après avoir erré à travers les pièces remplies d'étrangers, je m'assis sur les marches de la véranda à l'arrière de la maison. Le vieux chat roux dormait à sa place, d'un sommeil imperturbable malgré les visiteurs. Je demeurai assise dans un silence solitaire, jusqu'à ce que j'entende des pas derrière moi. Relevant la tête, je vis le père de James approcher et s'asseoir à côté de moi. Nos présentations à l'église n'avaient laissé sur moi aucune impression, mais alors que je considérais son visage, j'y décelai un léger air de famille. Sur le moment, je me demandai si le temps aurait donné à James les traits de cet homme. Il posa sa main sur la mienne, fouillant mon visage des yeux.

— Cela m'attriste de penser que nous ne ferons jamais plus ample connaissance, dit-il avec un soupir.

Sa paume s'attarda sur ma main, mais aucune réponse ne me vint à l'esprit. Au bout d'un moment, il se releva gauchement. Je m'aperçus alors qu'il était plus âgé qu'il ne le paraissait. Bien que bel homme et bien bâti, il était bien plus vieux qu'Erica. Je me souvins alors de ce que James m'avait raconté. Sa mère était tombée enceinte alors qu'elle était boursière du Royal Ballet de Londres. Il n'avait jamais été question que son père, un homme marié, quitte sa famille. Étudiant le vieil homme, je me demandai s'il ne regrettait pas plutôt de ne pouvoir faire plus ample connaissance avec son fils.

Je rentrai chez nous à pied, dans un début de soirée lumineux et chaud. Les terrains de tennis retentissaient des bruits des échanges : le rebond des balles sur le tamis des raquettes, les cris des joueurs, les rires. Dans Ponsonby Road, les restaurants avaient ouvert leurs portes au soir tombant et les clients buvaient tranquillement du vin aux tables sur le trottoir. La vie était partout où je posais le regard. Avec soulagement, je me réfugiai dans ma maison silencieuse, où régnait un rassurant crépuscule.

Je le sus avant même de me réveiller. Je crois que j'eus conscience, dans mon sommeil, de la toute première contraction du muscle le plus insignifiant, bien avant qu'elle s'intensifie pour se transformer en crampes régulières. Le liquide chaud et visqueux entre mes jambes n'apporta que la confirmation d'une réalité à laquelle je m'étais déjà résignée. Du sang maculait mes cuisses, les draps et le peignoir. Sans bouger, j'invitai la douleur. À chaque violente contraction, mon corps libérait un nouveau flot de sang épais. Je crus que si j'accueillais la souffrance en moi, si je ne lui offrais aucune résistance, elle ne cesserait jamais et m'emporterait avec elle.

Mais, au matin, il n'y avait plus rien. Tandis que je claquais des dents dans la douche, des tourbillons d'eau rouge s'écoulèrent par la bonde. Alors je renversai le visage sous le jet et mes larmes se mêlèrent à l'eau.

Je quittai la Nouvelle-Zélande deux semaines plus tard. Erica me conduisit à l'aéroport. Comme lorsque j'étais entrée dans sa vie, elle ne posa aucune question. Elle savait que j'allais séjourner quelque temps chez mon père, à Tokyo. Tandis que ses mains fines reposaient sur le volant et que ses yeux fixaient la route, j'observai son profil. Était-elle soulagée de me voir partir? M'associait-elle à son chagrin?

Elle patienta le temps que j'enregistre mes bagages, puis nous nous rendîmes à l'étage supérieur pour boire un café.

— J'espère que tu reviendras, me dit-elle. Tu seras toujours la bienvenue.

Elle posa ses yeux sur mon visage et les y laissa, sourcils noués. Comme je tentais de déchiffrer son expression, il me sembla qu'elle mémorisait mes traits, si elle ne les explorait pas pour la première fois. Peut-être n'avait-elle jamais pris la peine d'étudier mon visage auparavant. Peut-être pensait-elle, comme moi, qu'elle avait tout le temps.

Comme nous nous étreignions avant de nous quitter, je sentis ses omoplates osseuses dans son dos. Elle semblait légère comme l'air entre mes bras. Quand nos corps se détachèrent, elle recula d'un pas et, après une pause, sortit une enveloppe de son sac à main.

— Je veux que tu la prennes, me dit-elle en me la tendant. Tu l'ouvriras plus tard.

Elle se redressa, scruta mon visage une dernière fois, puis tourna les talons et s'éloigna. Son dos étroit disparut dans la foule.

Lorsque l'avion prit de l'altitude, je regardai par le hublot, mais des nuages bas masquaient la vue. Je fixai leur blancheur compacte, l'esprit complètement vide.

J'ouvris l'enveloppe plus tard. Elle contenait une photographie, ainsi qu'un petit message écrit à la main :

« C'est ma photo préférée de James. Il avait huit ans et venait juste de se faire suturer la lèvre, mais il était très heureux, comme tu peux le voir. Son équipe de rugby venait d'enregistrer sa première victoire. Je regarde souvent cette photo. Je pense à toute cette joie, tous ces rires. Je me dis alors que c'est ce que je dois retenir. J'espère, Veronika, que tu pourras en faire autant. »

# 29

*… une lumière qui n'est ni espoir ni foi*
*mais amour – signe de triomphe.*

Le ciel était blanc, sans un souffle de vent ; l'air, lourd et chaud. Un temps de funérailles, songea Veronika. Elle s'était réveillée de bonne heure et en sueur. Après une douche rapide, elle avait emporté son café sur le perron et s'était assise sur les marches. Son téléphone portable était posé près d'elle sur la pierre. Elle n'avait appelé personne depuis son arrivée au village. Quatre mois. Elle avait cependant toujours rechargé la batterie, effaçant, de temps à autre, les messages qui s'accumulaient dans la boîte vocale. L'appareil dans la main, elle afficha en quelques commandes ceux qu'elle avait sauvegardés. Il n'en restait que trois. Le dernier datait du 1er novembre de l'année précédente ; le premier, du 6 juillet. Le jour de son anniversaire. Elle contempla cette date, soupesant le téléphone dans sa main, mais elle finit par l'éteindre sans écouter l'enregistrement. Le glissant dans la poche de son peignoir, elle rentra se préparer pour la journée.

Astrid était installée sur le banc sous son porche lorsque Veronika arriva. Vêtue d'une chemise blanche et d'un pantalon bleu marine, elle tenait un sac en plastique sur ses genoux. Elles étaient convenues, s'il ne pleuvait pas, de parcourir à pied le chemin jusqu'à l'église. La vieille femme se leva en la voyant et, bras dessus, bras dessous, elles descendirent la colline sans se presser. Les hirondelles volaient bas dans un ciel qui pesait sur leurs têtes. Elles passèrent devant le magasin, ouvert mais désert. Sur une table devant l'entrée étaient présentées des barquettes de fraises en promotion, dont le parfum sucré attirait les insectes. Elles s'arrêtèrent un instant sur le pont qui enjambait la rivière. Astrid contempla l'eau, dont la surface monotone et plate s'étirait, telle une peau huileuse, sur la lente masse noire des flots.

— C'est presque fini, observa-t-elle en jetant un regard à l'église.

L'entrepreneur des pompes funèbres les accueillit sur les marches de l'édifice en compagnie d'une petite femme blonde. Il portait un costume foncé, une chemise blanche et une cravate discrète ; sa collègue, un tailleur sombre. Après la leur avoir présentée, il pivota vers la porte ouverte.

— Suivez-moi dans la sacristie, dit-il en offrant son bras à Astrid.

Veronika et la femme suivirent. Malgré la fraîcheur, l'air à l'intérieur de la sacristie était confiné, comme si la pièce n'avait plus été ouverte depuis longtemps. Le pasteur était jeune, guère plus âgé qu'elle, constata Veronika. Il tenait ses mains jointes en un geste de perpétuelle prière, qui semblait toutefois dénoncer davantage de la nervosité que de la piété. Il dénoua ses mains le temps de saluer Astrid, mais ses yeux évitèrent soigneusement ceux de Veronika.

Lorsque leur petit comité pénétra dans l'église, Veronika remarqua trois femmes âgées, assises sur un banc, dans le fond. Le reste de l'édifice était vide. Le cortège remonta l'allée centrale sous la conduite du pasteur, suivi d'Astrid appuyée au bras de Veronika, puis de l'ordonnateur et de sa collègue. Le cercueil, une simple bière en bois, n'arborait, pour seul ornement, qu'une petite couronne de sapin blanc. Deux cierges brûlaient de part et d'autre, chacun sur un chandelier de fer forgé d'environ un mètre de haut.

Astrid s'installa au premier rang, à côté de Veronika, tandis que les employés des pompes funèbres prenaient place derrière. Le pasteur se contenta de lire les textes d'usage, sans chercher à prononcer de discours personnel. Veronika avait l'impression que ses mots se dissipaient dès qu'ils avaient franchi ses lèvres, que leurs syllabes se dissociaient et que leur sens se perdait dans les ombres muettes du vaste édifice. Lorsqu'il se tut, l'orgue égrena ses premières notes. Astrid resta assise. Ses yeux ne quittaient pas le cercueil et ses lèvres remuaient sans un bruit. Enfin, elle posa son bras sur celui de Veronika, incitant la jeune femme à se lever pour libérer le passage. Alors elle s'avança vers la bière, seule, pour se poster devant. De dos, elle paraissait petite et frêle, mais sa pose était assurée, sa colonne droite, ses épaules dégagées. Sa tête, au lieu d'être courbée en position de recueillement, était légèrement renversée vers le ciel. Sa bouche formait des mots inaudibles. Elle demeura immobile, hormis le mouvement continu et silencieux de ses lèvres. Puis, elle tâtonna dans la poche de son pantalon, dont elle ressortit sa main fermée. Elle allongea ensuite le bras et ouvrit le poing sur le cercueil pour y déposer quelque chose. Sa paume s'attarda un instant sur le bois, puis elle tourna les talons et rejoignit le banc et Veronika. Ensemble, elles descendirent l'allée centrale. Lorsqu'elles dépassèrent les trois vieilles femmes, Veronika sentit leur regard sur leurs dos.

Le pasteur et les deux employés des pompes funèbres les suivirent sur les marches. Un peu à l'écart, Astrid donnait l'impression d'inspirer de profondes bouffées de l'air chaud chargé d'humidité. Lorsqu'on lui demanda si elle assisterait à l'inhumation, elle secoua la tête. Les yeux de l'ordonnateur s'arrêtèrent une seconde sur son visage et sa tête se pencha sur le côté. Néanmoins, il n'émit aucune remarque, se contentant de lui offrir une poignée de main et de lui dire au revoir. Il retourna ensuite avec sa collègue et le pasteur à l'intérieur de l'église tandis qu'Astrid et Veronika descendaient les marches. Elles avaient atteint les graviers et se dirigeaient vers la grille lorsque Astrid posa sa main sur le bras de Veronika.

— Un instant.

Changeant de direction, elle longea l'édifice pour entrer dans le cimetière. Veronika suivit sans trop savoir si elle le devait, ses yeux sur le dos de la veille femme. Astrid se dirigea vers le fond, près du mur de pierre. Après s'être age-nouillée péniblement, elle ouvrit son sac en plastique pour en sortir un petit bouquet de fleurs sauvages, qu'elle coucha sur la plaque devant elle. Elle se pencha ensuite pour cares-ser la pierre plate, puis posa ses mains sur ses cuisses et ne bougea plus pendant un moment. À pas lents, Veronika la rejoignit pour lui offrir sa main. Astrid leva le visage vers elle et, avec un hochement de tête, accepta son aide. Une fois debout, elle épousseta son pantalon et froissa le sac en plastique entre ses mains.

— J'ai rendu l'alliance, dit-elle. Je n'aurais jamais dû l'ac-cepter. Et je n'aurais pas dû attendre toute une vie pour dire ce que j'avais à dire. Mais c'est enfin fini.

# 30

*... profondément mystérieux sont les moments
où la joie pure nous est accordée.*

Trente et un. Elle avait trente et un ans, songea Veronika,
dans son lit. C'était un samedi, et c'était son anniversaire :
le 6 juillet. Elle regarda la lumière qui baignait le plafond.
Il était encore tôt, mais la brise qui filtrait à travers la mous-
tiquaire de la fenêtre était déjà à la même température que
la peau de son bras. Elle repoussa son drap à coups de pied
et se tourna sur le flanc, les mains entre ses jambes, nue.
Elle essaya de se rappeler ce matin-là, un an plus tôt. Un
matin dans un autre monde. Dans une autre vie.

— Joyeux anniversaire, Veronika !

Elle sentit ses lèvres contre ses cuisses sous la couverture.
Tirant les draps par-dessus sa tête, elle prit son visage entre
ses deux mains. Il lui embrassa les lèvres, puis la repoussa
tendrement sur l'oreiller et promena sa bouche sur sa poitrine et son ventre. Comme elle se cambrait pour le recevoir,
elle fut submergée par une joie d'une telle intensité qu'elle
se brisa en éclats dans une explosion de fragments multico-
lores qui emplirent tout l'univers.

— C'est le jour de ma naissance, déclara-t-elle ensuite
alors que sa tête reposait sur son torse, ses cheveux humides

collés sur sa peau. Le tout premier. C'est aujourd'hui que ma vie commence.

Elle ferma les yeux, huma son odeur. Et elle sut que les naissances étaient ainsi : chaudes, malodorantes, dangereuses, voire fatales. Et jubilatoires.

La journée s'écoula au gré de toutes les activités qu'elle s'était mise à aimer. Après plusieurs heures au musée, ils flânèrent dans les petites boutiques de High Street, s'arrêtèrent dans sa librairie favorite, puis allèrent boire un café, un *flat white* néo-zélandais. James insista auprès de la serveuse pour que le lait soit versé de façon à dessiner un beau cœur à la surface du café *latte*. Elle rit avec eux. James faisait rire tout le monde. Même la météo semblait s'évertuer à lui offrir un jour parfait. Le ciel était bleu vif, l'air piquant. Pour le déjeuner, ils s'installèrent à une table en terrasse. Il faisait bon au soleil et James retira sa veste. Il déchaussa ensuite ses lunettes noires et la regarda intensément.

— Ce sera toujours comme ça. Quoi qu'il arrive, où qu'on aille, on fera en sorte que ça reste comme ça. Jusqu'à ce que la mort nous sépare.

Il sortit alors de sa poche un petit sachet de velours vert.

— Joyeux anniversaire, Veronika, dit-il en le poussant sur la table.

Elle caressa du bout des doigts la surface duveteuse du tissu sur la table.

— Tu te rappelles quand tu m'as donné le téléphone portable ? demanda-t-elle. Et que je ne t'ai rien donné ?

Il sourit en secouant la tête.

— C'était un geste intéressé. De l'égoïsme pur. Je voulais être certain de pouvoir te joindre.

— Peut-être, mais je ne t'ai quand même rien donné.

Elle le regarda dans les yeux sans cesser de palper le sachet de velours.

— Alors je t'offre mon prochain roman. Il est entièrement pour toi. À James, avec tout mon amour. Et ce sera un livre d'amour. Il contiendra tout ça.

D'un geste, elle les engloba tous les deux, le café, la rue, le ciel.

— Et j'en ferai une œuvre de toute beauté.

Elle saisit le pochon pour l'ouvrir. Il contenait une néphrite très foncée, presque noire. Rectangulaire, de la taille d'une boîte d'allumettes, la pierre s'amenuisait en son milieu, si bien que son centre devenait presque transparent. James tendit la main pour l'inviter à la déposer sur sa paume. Il leva ensuite la néphrite au soleil.

— Tiens, regarde. Si tu la contemples avec ton cœur, tu peux voir la terre. La mer, aussi. Et les montagnes, et le ciel. Et puis les gens.

Il ouvrit le fermoir et, se penchant par-dessus la table, passa le fin cordon autour de son cou.

— C'est à toi, reprit-il. C'est tout à toi. Tout ça.

L'an dernier. À l'autre bout du monde. Dans une autre vie.

Elle ouvrit les yeux et les posa sur le store qui se balançait doucement dans la brise matinale. Bien qu'il fût encore tôt, elle se redressa dans son lit et se pencha pour ouvrir le tiroir de la table de nuit. Elle en sortit le petit sachet de velours et l'ouvrit. La néphrite tomba sur ses genoux. Elle la tint un instant dans la lumière tamisée avant de l'accrocher autour de son cou. Une main autour de la pierre lisse, elle sortit ensuite son téléphone portable, l'alluma et le posa sur la table de chevet. Puis elle se rendit à la fenêtre et, après avoir relevé le store, observa le paysage, la pierre toujours dans le creux de sa paume. L'été culminait dans une explosion luxuriante. Des jacinthes des bois et des pâquerettes se mêlaient aux herbes folles, et un vert riche et saturé teintait les feuilles des bouleaux. Les hirondelles qui nichaient sous le toit gazouillaient au-dessus d'elle. Leurs petits prendraient leur envol d'un jour à l'autre.

Elles avaient prévu de partir dans la fraîcheur du matin, mais il lui restait encore un peu de temps avant de devoir se préparer. Elle enfila le peignoir rouge et descendit se faire un café. Sa tasse à la main, elle sortit, découvrant, sur le pas de sa porte, une assiette blanche avec une fléole des prés garnie de petites fraises sauvages du rouge le plus pur. Elle s'assit et, saisissant la paille entre ses doigts, la souleva en souriant. Elle l'approcha de son nez pour en humer l'odeur, puis en enleva une fraise tout en douceur pour la glisser dans sa bouche. Elle les mangea toutes, une à une, laissant leur goût sucré s'installer sur sa langue, ses pieds nus dans l'herbe humide. Seul le bruit lointain d'un pic perçait le silence du matin ensommeillé. Elle en était venue à chérir ces débuts de journée sur le perron. Chaque matin marquait un nouveau départ, ouvrait une page blanche. Et chaque jour la portait un peu plus près de la surface, dans une lumière grandissante.

Elle était habillée et s'apprêtait à partir lorsqu'elle s'arrêta net. Elle remonta alors dans sa chambre pour prendre son téléphone portable, qu'elle fourra dans la poche de son petit sac à dos.

Pour la première fois depuis leur rencontre, Astrid portait une jupe. La laine fine grenat lui tomba sur les chevilles lorsqu'elle se leva de son banc pour rejoindre le portail. Des chaussures plates noires et un corsage blanc à manches courtes complétaient sa tenue. Veronika nota également les boucles d'oreilles, de petites perles blanches. Au bout de sa main se balançait un panier en osier à l'ancienne, de ceux que l'on utilise pour cueillir les baies ou les champignons.

Pour le déjeuner, Veronika avait réservé une table dans une petite pension d'un village voisin réputée pour la qualité de sa cuisine. Elles traverseraient la bourgade sur le chemin de la ville et s'y arrêteraient manger au retour.

— J'aime bien conduire, remarqua Veronika. C'est une découverte récente pour moi. En fait, c'est la première fois de ma vie que j'ai une voiture à moi. Enfin, elle n'est pas vraiment à moi, je la loue, mais c'est pareil. C'est un peu comme un animal de compagnie. Quand je la sors, j'ai l'impression de promener un chien.

Elle tapota le volant avec un sourire.

La route était sèche et déserte ; la radio passait de la musique populaire. Elles roulaient lentement, se laissant distancer par les quelques voitures qui les doublaient. Astrid sortit de son panier un paquet de bonbons, qu'elle tendit à Veronika.

— Dans un des pays où nous avons vécu, mon père avait un chauffeur qui s'appelait Muhammad, se mit à raconter Veronika. Il était analphabète, mais mon père ne l'a su que quand il a voulu se séparer de lui. Quand ils l'ont appris, les autres domestiques lui ont adressé une pétition au nom de leur collègue. Muhammad avait adopté quatre enfants, dont un n'avait pas encore terminé ses études universitaires. Il était vieux et illettré, jamais il n'aurait réussi à trouver un nouveau poste. Quand mon père l'a appris, il est tout de suite revenu sur sa décision et Muhammad est resté notre chauffeur jusqu'à notre départ.

Veronika ne détachait pas les yeux de la route. De la main gauche, elle dégagea ses cheveux de son visage.

— Mon père est un homme doux et gentil.

Elle jeta un coup d'œil à Astrid.

— J'ai passé plus de temps avec lui qu'avec quiconque. Et pourtant, quand je le regarde avec mes yeux d'adulte, je ne suis pas sûre de le connaître. Je sais qu'il est doux, qu'il est gentil. Je connais les livres, la musique, les sports qu'il aime, mais je ne connais pas le fond de sa pensée. Je ne le connais pas en tant que personne. Seulement en tant que père.

Les doigts de sa main droite se mirent à pianoter sur le volant, puis son poing se serra avant de se détendre.

Soudain, son téléphone portable sonna dans son sac à dos sur la banquette arrière. Lorsque Astrid voulut l'attraper, elle posa sa main sur son bras et secoua la tête.

— Laissez, je verrai plus tard.

Elles traversèrent des villages endormis, dont les maisons en bois rouille rehaussé de moulures blanches se dressaient au milieu de plates-bandes et de pelouses d'un vert cru. Elles croisèrent peu de gens à cette heure matinale. Sur de longs tronçons, la route longeait le cours large et calme de la rivière, dont les méandres métalliques réfléchissaient paisiblement le ciel bleu.

Arrivées en ville peu avant dix heures, elles se garèrent dans un parking juste devant le dôme du centre commercial. Il leur restait encore un peu de temps avant l'ouverture des magasins, elles décidèrent donc de se promener dans le parc en face en attendant. Lorsque les rideaux se levèrent, elles rebroussèrent chemin et entrèrent dans la galerie. Manifestement seules, elles déambulèrent devant des vitrines aussi ensommeillées que la ville. Les vêtements d'été et les articles de vacances paraissaient défraîchis, comme couverts d'une pellicule de poussière sous laquelle ils attendaient avec résignation d'être démantelés pour laisser la place aux étalages de la nouvelle saison.

Dans l'un des magasins, une jeune fille mince aux cheveux raides et décolorés s'appliquait du brillant à lèvres derrière le comptoir, un petit miroir à la main et l'air absorbé. Elle ne semblait pas avoir remarqué les deux clientes lorsque Astrid s'avança vers un portant sur lequel pendait une poignée de maillots de bain une pièce avachis. Comme elles s'y attendaient, le choix était limité. Seuls trois modèles étaient exposés dans sa taille : un noir, un blanc décoré de diamants fantaisie et un multicolore à motif floral. Astrid étudiait le présentoir avec une expression que Veronika n'arrivait pas tout à fait à déchiffrer quand la jeune fille les aborda.

— Vous cherchez un maillot de bain pour votre mère? demanda-t-elle à Veronika, ignorant Astrid.

— Tout à fait, répondit Veronika.

La vendeuse leur présenta le maillot de bain noir, un article sage, sans échancrure aux cuisses et doté de larges bretelles. Elle le fit pendiller au bout de son doigt, les yeux fixés sur un point par terre au milieu du magasin.

— Puis-je essayer celui-ci? demanda Astrid en décrochant du portant le maillot à fleurs.

— Bien sûr, répondit la jeune fille sans un regard à sa cliente. C'est par là.

Leur indiquant du bout du menton trois cabines alignées le long du mur, elle tourna les talons avant même d'avoir terminé sa phrase pour regagner sa place derrière le comptoir, où elle reprit son maquillage.

Astrid disparut derrière le rideau. Elle se déshabilla avec des froissements de vêtements dans l'espace réduit, ses mouvements faisant apparaître çà et là des bosses sur le pan de tissu tiré sur l'ouverture. Brusquement, le rideau s'ouvrit et la vieille femme s'avança dans la lumière fluorescente.

— Alors, qu'en dites-vous? lança-t-elle en posant, les bras en croix, un pied devant l'autre.

La peau de ses jambes, d'un blanc bleuté, pendait mollement sur ses cuisses. L'encolure décolletée exposait le haut de sa poitrine, laiteuse et flasque. Ses cheveux, qui semblaient chargés d'électricité statique, entouraient son visage pâle d'une fragile auréole. Après un instant de profond silence, Veronika porta lentement ses mains à sa bouche. Les yeux d'Astrid se mirent à pétiller et, ensemble, elles piquèrent un incontrôlable fou rire. Ce qui commença comme des grelots étouffés s'amplifia rapidement, au point que des larmes se mirent à rouler sur le visage d'Astrid, qui riait aux éclats. Comme Veronika se pliait en deux pour reprendre son souffle, la vieille femme s'écroula sur un tabouret devant la cabine.

— Superbe, déclara Veronika une fois qu'elle eut retrouvé l'usage de la parole. Je le trouve parfait.

— Je le prends, conclut Astrid en s'éclipsant dans la cabine.

Des gloussements s'élevèrent encore de l'autre côté du rideau. La vendeuse se tenait immobile derrière la caisse, ses lèvres brillantes entrouvertes.

Le maillot de bain dans un sac, elles musardèrent dans la torpeur estivale de la ville. Il était encore trop tôt pour le déjeuner et aucune d'elles n'avait d'autres achats à effectuer. Elles se promenèrent donc sans but et, en passant devant un vendeur de glaces, s'arrêtèrent pour acheter un cornet chacune. Elles s'assirent ensuite sur un banc du parc, à l'ombre claire d'un bouquet d'arbres.

— Vous savez, c'est la première fois que je viens ici, remarqua Astrid. Je vous remercie de me donner la chance de voir tout ça.

Elle leva sa main serrée autour de son cornet pour montrer les environs.

— Je ne perds pas une miette du spectacle, et je me régale. D'ailleurs, je me rends compte, maintenant que je vois tout ça, que ce n'est pas grave qu'il m'ait fallu attendre toute une vie.

Elle offrait son visage au soleil, léchant de temps à autre sa glace.

— Je suis sûre qu'il y a des endroits extraordinaires que je ne verrai jamais. Mais ça m'est égal, à présent, dit-elle d'une voix qui se voila. Ce jour me suffit. J'ai compris que ça n'aurait fait aucune différence. Ça n'a jamais été une question d'endroit.

Veronika glissa la main sous son chemisier pour en sortir son pendentif en néphrite. Actionnant le fermoir, elle le détacha de son cou et le leva dans le soleil.

— Tenez, Astrid, regardez.

La vieille femme se pencha vers elle et leurs têtes se frôlèrent tandis qu'elles contemplaient la pierre.

— Si vous la regardez avec le cœur, vous pouvez y voir tout ce que vous aimez : les lacs, les forêts, le ciel, l'univers tout entier.

Elle tendit le pendentif à Astrid, qui laissa courir ses doigts sur sa surface lisse.

— Je ne l'ai plus porté depuis la mort de James. Parce que j'ai perdu mon cœur. Je ne pouvais plus rien voir. Mais, ce matin, je l'ai mis, dit-elle en le raccrochant autour de son cou. Et je crois que je vois. Je crois que je vois de nouveau la beauté.

Astrid se tourna vers elle.

— Oui, dit-elle. Oui, la beauté existe. Il suffit de regarder avec le cœur pour la voir partout.

Après une courte promenade à travers les rues tranquilles, elles regagnèrent la voiture et quittèrent la ville.

La pension de famille était une imposante bâtisse ancienne en bois, peinte en jaune pâle dans un village où toutes les autres habitations arboraient le rouille traditionnel. Nichée dans un vaste jardin au comble de sa profusion estivale, elle évoquait une reine des abeilles entourée d'une ruche de travailleuses brun-rouge. Elles se garèrent devant le portail et remontèrent à pas lents l'allée jusqu'à l'entrée. Du côté droit, des rangs de persil, d'aneth, de ciboulette et de basilic se succédaient dans un jardin d'herbes aromatiques. De hautes roses trémières poussaient le long de la façade du bâtiment principal, de chaque côté de la porte. Un gros chat gris dormait sur le perron tandis que, juste en dessous, un hochequeue intrépide se pavanait sur l'herbe. Elles franchirent la porte ouverte et suivirent le couloir dans un profond silence. Elles ne croisèrent personne avant d'entrer dans la salle de restaurant, où une femme svelte s'avança à leur rencontre, les lèvres étirées en un sourire chaleureux. Si elles purent constater, de près, qu'elle n'était plus toute jeune, elle n'en dégageait pas moins une énergie engageante. Elle parlait avec un léger accent étranger qui, combiné à des cheveux flamboyants de henné, en faisait un personnage étrangement décalé dans l'environnement vieillot et conventionnel de la pension.

Elle leur proposa de déjeuner à l'intérieur et de prendre le café dans le jardin. Après qu'elles se furent installées à une table dans la salle, Astrid leva les yeux vers elle.

— C'est l'anniversaire de Veronika aujourd'hui, dit-elle avec un petit mouvement du menton.

La serveuse joignit les mains, un large sourire sincère sur les lèvres.

— Oh, c'est formidable! Dans ce cas, permettez-moi de vous servir de quoi trinquer.

Comme elle pivotait pour s'éloigner, elle ajouta par-dessus son épaule:

— Aux frais de la maison, bien entendu.

De dimensions généreuses, la pièce était pourvue d'un mobilier discret qui ajoutait à l'impression d'espace. Les tables et les chaises en bois étaient peintes dans le traditionnel gris pâle. Dépouillées de rideaux, les fenêtres étaient égayées par plusieurs pots de géraniums placés sur leur rebord. Un sentiment d'intemporalité et de sérénité émanait de ce lieu, décor sobre pour des personnages et des repas peut-être identiques depuis des centaines d'années. Il n'y avait, pour l'instant, aucun autre client.

Alors qu'elle posait son sac à dos au pied de sa chaise, Veronika se rappela l'appel manqué dans la voiture. Sortant son téléphone portable, elle composa le numéro de sa messagerie. Tandis qu'elle écoutait l'enregistrement, son visage s'adoucit, s'éclairant d'un sourire inconscient.

— C'était mon père, expliqua-t-elle quand elle eut rangé l'appareil dans son sac. Il me souhaitait un bon anniversaire.

La serveuse réapparut avec un petit plateau garni de deux verres de mousseux.

— Joyeux anniversaire ! dit-elle en les posant sur la table.

Astrid prit son verre pour le lever.

— Joyeux anniversaire, Veronika. J'espère que vous viendrez dîner à la maison, ce soir. Je n'ai pas apporté votre cadeau.

Avec un sourire, Veronika acquiesça de la tête.

Le restaurant proposait un menu unique avec, pour entrée, un assortiment de mets présentés sous forme de buffet sur une petite table ronde à l'autre bout de la salle : du pain de seigle maison, sec ou frais ; du beurre ; du fromage de petit-lait tendre, d'un brun pâle, disposé dans une petite coupe de genévrier ; des chanterelles poêlées ; une salade mixte composée d'une variété de feuilles et de pétales de fleur ; des œufs durs coupés en deux et des œufs de poisson blanc ; deux sortes de hareng mariné et, pour finir, des petites pommes de terres nouvelles parsemées d'aneth. Après s'être servies, elles regagnèrent leur table.

Alors que, leur entrée terminée, elles attendaient le plat de résistance, un couple arriva et s'attabla à l'autre bout de la salle. En les entendant parler anglais, Veronika se dit qu'il devait s'agir d'Américains.

Elle fit rouler le pied de son verre entre ses doigts.

— Mon père… Quand j'étais petite, je pensais que rien n'était impossible pour lui : faire passer la douleur, rendre mon monde sûr et compréhensible… Nous étions toujours ensemble, rien que nous deux, seuls au monde. Pourtant, je n'ai jamais pris le temps de le regarder, d'étudier l'homme qu'il était. Il était mon père, rien d'autre. Et il m'a autorisée à croire que le principal but de sa vie était mon bien-être.

— Un bon père, remarqua Astrid. Un père aimant.

Elle leva la tête. Le vin lui avait rosi les joues et Veronika crut à nouveau déceler la beauté dans le visage ridé.

— Les parents ont un pouvoir redoutable : ils peuvent protéger de tous les maux, ou infliger les pires. Enfants, nous prenons ce qu'on nous donne. Peut-être pensons-nous que même le pire vaut mieux que ce que nous craignons plus que tout.

Elle regarda par la fenêtre, dans l'immobilité de l'air chaud.

— La solitude, reprit-elle. L'abandon. Mais une fois que nous admettons que nous avons toujours été seuls, et que nous le serons toujours, nous pouvons commencer à changer de perspective. Nous pouvons prendre conscience de menues attentions, de petites consolations, et les apprécier à leur juste valeur. Et puis, avec le temps, nous finissons par comprendre qu'il n'y a aucune crainte à avoir. Seulement beaucoup de gratitude.

Elle leva son verre pour en boire la dernière gorgée.

— J'ai mis une vie à en prendre conscience, conclut-elle. Ne mettez pas aussi longtemps, Veronika.

Le plat de résistance leur fut porté à table : des gâteaux de viande d'élan hachée accompagnés d'airelles rouges et de morilles à la crème. Elles dégustèrent lentement cette nourriture riche, s'accordant des pauses pour parler, ou simplement goûter la quiétude d'une compagnie sans exigence.

Elles passèrent ensuite dans le jardin à l'arrière du bâtiment principal, où un plateau pour le café avait été dressé sur l'une des tables. La serveuse insista pour qu'elles goûtent au gâteau au chocolat, spécialité de la maison. Sourde à leurs protestations, elle leur en apporta une part avec deux cuillères. Il leur suffit d'en avaler une bouchée pour trouver l'appétit pour le reste. En ce début d'après-midi, le jour s'offrait dans toute sa plénitude. Des hirondelles chassaient des insectes au-dessus de leurs têtes et, juste à côté de la table, un grand jasmin embaumait l'air.

— Je ne sais pas si nous pourrons avaler encore quelque chose aujourd'hui, observa Veronika. Je crois qu'une petite baignade s'impose avant le dîner. Et puis, vous devez étrenner votre maillot de bain.

Astrid hocha la tête avec un sourire.

— Nous souperons tard, dit-elle.

Sa phrase fut ponctuée par la sonnerie du téléphone portable. Cette fois, Veronika réussit à sortir l'appareil à temps pour prendre l'appel. Lorsqu'elle répondit, elle sentit les yeux d'Astrid sur son visage. Puis la vieille femme se tourna vers le soleil et ferma les paupières. Bien que brève, la conversation posa sur les lèvres de Veronika un sourire qui y resta bien après qu'elle eut rangé son téléphone dans son sac.

— C'était encore mon père. Mais laissez-moi vous raconter notre dernière rencontre.

## 31

*Telle une déferlante,*
*Jetée par des vents violents sur un rocher,*
*Je suis ; seul*
*Et brisé sur le rivage,*
*À me remémorer ce qui n'est plus,*

### Veronika

La semaine qui suivit les obsèques, je téléphonai à mon père. J'étais encore incapable de trouver les mots, mais il reconnut ma voix. Il ne posa pas de questions.

— Je suis là, dit-il.

Puis nous retombâmes dans le silence.

Il m'attendait à l'aéroport, impeccable dans un complet gris et une chemise blanche rehaussée d'une cravate de bon ton. À cette heure matinale, il était sans doute venu directement de chez lui.

Après une brève étreinte, il s'empara de mon chariot à bagages. Il n'y eut ni questions, ni regards scrutateurs, rien qu'une efficacité tranquille et discrète. Son expression et ses mouvements signifiaient : « Finissons-en aussi vite et en douceur que possible. » Nous traversâmes le calme étrange de la zone des arrivées, croisant des voyageurs qui semblaient se déplacer sans un bruit, sans laisser ni déchets ni odeurs derrière eux. Nous marchâmes en silence jusqu'au parking, où nous chargeâmes mes bagages dans le coffre de sa nouvelle voiture japonaise.

Je n'avais pas vu mon père depuis plus d'un an. Tandis qu'il manœuvrait pour s'engager sur la voie de sortie et franchir les barrières du parking, j'observai son profil. Il avait pris de l'âge et de l'embonpoint. Son menton était moins dessiné, ses cheveux un peu plus clairsemés sur le sommet de son crâne, avec une pointe de gris plus prononcée autour des oreilles. Une fois sur l'autoroute, il mit en marche le lecteur de CD. Je ne pus m'empêcher de sourire en reconnaissant Frank Sinatra. Je regardai le paysage défiler derrière la vitre, paisible dans la lumière matinale de l'hiver. Une aquarelle de champs endormis et d'arbres dépouillés, sans vie ni mouvement. À l'approche de la ville, des murs de béton obstruèrent peu à peu la vue, jusqu'à ce que nous nous retrouvions au cœur d'un réseau routier complexe où s'enchevêtraient des voies rapides. Frank Sinatra chantait « Fly Me To The Moon ». Des tours se dressaient si près que la voiture semblait rouler dans un tunnel creusé dans leur béton. Et, de chaque côté de la route, des gens vaquaient à leurs occupations.

Mon père vivait dans un vaste appartement au premier et avant-dernier étage d'un immeuble bas. Il gara la voiture dans le sous-sol, puis nous prîmes l'ascenseur jusque chez lui. Dans le vestibule, je reconnus la petite commode coréenne et l'ancien plan de Stockholm encadré. Dans le salon, les deux canapés rouges se faisaient face, séparés par la table d'échecs, comme dans tant d'autres salons où nous étions passés. J'évoluais dans un rêve où tout m'était à la fois familier et étranger. Dans la petite chambre d'amis, le lit était fait et les serviettes de bain sorties. Un plan du quartier, dessiné à la main, attendait sur le petit bureau, sous une enveloppe qui contenait certainement de l'argent. Mon père devait partir pour le travail.

Lorsque je me retrouvai seule, je m'assis sur le lit, les mains entre les genoux. Que faisais-je ici? Je traversai à pas lents le couloir labyrinthique tapissé des livres de mon père, avec ses cales parasismiques entre l'étagère supérieure et le plafond. Tout était ordonné, silencieux, tranquille. Dans la cuisine, le réfrigérateur bourdonnait, les plans de travail se déployaient, vides et propres, la cuisinière et l'évier brillaient comme au premier jour. Je me postai à la fenêtre. Sur la gauche, de l'autre côté de la rue étroite, les arbres d'un petit parc étiraient leurs branches noires et nues vers le ciel blanc. Juste en face de l'appartement se trouvait une maison en bois vétuste et peu élevée. Une petite vieille était accroupie sur son toit d'étain, près d'un gros chat noir et blanc. Elle portait une veste rouille et un fichu blanc sur la tête. Un gros sac entre les jambes, elle cueillait des kakis sur les branches de l'arbre qui surplombait la maison. Avec des gestes lents et gracieux, elle tendait une main gantée de blanc, repliait les doigts sur le globe orange vif, puis le tournait doucement d'un côté et de l'autre jusqu'à ce qu'il se détache d'un coup sec. Toujours dans le même mouvement fluide, elle déposait ensuite le fruit dans le sac avant d'en cueillir un autre. Le chat, lui, restait assis dans la plus grande immobilité, sa queue difforme déployée derrière lui.

J'observai la scène pendant un moment. Quand j'abandonnai la fenêtre, la femme se livrait toujours à sa tâche, le matou à côté d'elle.

Je me rendis ensuite dans la petite salle de bains réservée aux invités, où je me déshabillai. Une fois nue, je me plaçai devant les miroirs qui couvraient tout un mur. Je ne distinguais aucun changement majeur dans l'image qu'ils me renvoyaient. La blancheur des seins et du triangle autour du pubis tranchait sur ma peau encore bronzée. Passant mes paumes sur mon ventre, je perçus le vide derrière la peau intacte. Je fis volte-face pour étudier mon reflet par-dessus mon épaule. Au-dessus de mes fesses blanches, une étroite ligne blanche courait dans mon dos, juste en dessous des omoplates. Mes cheveux avaient poussé et tombaient sur mes épaules. Je ne décelai cependant aucune différence notable sur ce corps, aucune cicatrice visible. Je pivotai de nouveau sur moi-même et, face au miroir, posai mes mains sur mes seins, puis m'agrippai les épaules, les paupières serrées. Mais aucune larme ne coula de mes yeux.

Après ma douche, je partis me promener. Détaillé, le plan s'accompagnait, dans la marge et au verso, de notes précises couchées avec l'écriture soignée de mon père. En plus d'y indiquer le chemin jusqu'à la gare, les magasins et les restaurants du quartier, ainsi que le parc de Yoyogi et le sanctuaire Meiji, il y avait décrypté le système de numérotation des bâtiments et listé quelques phrases utiles en japonais. Il avait terminé par ses numéros de téléphone, avant de signer en suédois : « *Pappa.* » Je descendis la rue sans destination particulière à l'esprit. Malgré un ciel dégagé, la lumière paraissait faible, comme filtrée à travers un voile de gaze. Je passai devant le parc et poussai jusqu'au sanctuaire. Il y avait du monde : des familles et des couples, quelques touristes et beaucoup de Japonais qui se promenaient d'un pas tranquille, s'arrêtant sur l'allée de gravier pour poser pour des photos.

À l'intérieur du sanctuaire, de jeunes hommes en habit blanc, coiffe et sabots noirs, traversèrent la cour en procession avant de disparaître dans l'un des bâtiments. Je gravis les marches jusqu'à l'autel principal, où quelques visiteurs priaient et jetaient des pièces dans un récipient en bois. Je les observai depuis l'ombre, légèrement appuyée au mur. Une vieille femme se tenait juste devant moi, les mains levées dans un geste de prière, son sac à main pendu à son bras. Un jeune couple se trouvait un peu plus loin, un nourrisson niché dans les bras de l'homme. Je passai devant les stands de bric-à-brac religieux et descendis jusqu'au panneau couvert de tablettes votives. Des centaines de plaques de bois s'alignaient sur une grande structure à quatre pans. La plupart des messages griffonnés étaient des prières pour la paix dans le monde, la santé, le bonheur, la réussite aux examens, un enfant... Certains vœux étaient plus personnels, parfois extrêmement émouvants ; d'autres plus légers, drôles, voire carrément effrontés, comme sur cette tablette qui affichait : « J'aimerais voir Naomi en string l'an prochain. »

Je souris, mais ne trouvai, pour ma part, aucun vœu à formuler.

Le soir, mon père m'emmena dîner dans un petit restaurant de Shibuya. Nous décidâmes de profiter de la soirée fraîche et claire pour nous y rendre à pied. La ville était transformée dans l'obscurité. Là où, à la lumière du jour, de lourds bâtiments modernes s'empêtraient dans des câbles pendus à des piliers de béton s'ouvraient, à la tombée de la nuit, de mystérieuses ruelles mal éclairées émaillées de lanternes qui se balançaient paresseusement devant des portes entrouvertes. Des effluves de cuisine imprégnaient l'air, de jeunes couples riaient. À la hauteur du carrefour principal de Shibuya, nous nous figeâmes, laissant le flot de piétons nous dépasser. Les corps se coulèrent autour de nous tout en douceur. Personne ne s'entrechoqua ni ne nous effleura. Nous reprîmes notre marche, cernés d'êtres en mouvement : des visages ; des bouches qui parlaient, riaient, soufflaient de la fumée de cigarette ; des mains qui gesticulaient, lissaient des cheveux, s'incurvaient autour d'une flamme d'allumette, se serraient sur d'autres doigts. Si près de cette foule, nous aurions dû percevoir la chaleur des corps, respirer leurs odeurs, mais nous évoluions à part : coupés de la masse humaine autour de nous et coupés l'un de l'autre. Bien à l'abri dans des bulles soudées, nous flottions dans la foule sans en faire partie : unis dans un monde étranger et pourtant solitaires.

Le restaurant était un simple établissement d'*okonomiyakis*, chaud et nauséabond. Chacun de nous reçut une jatte avec des légumes et du poulet dans un mélange d'œufs et de farine de riz. Mon père me montra comment faire cuire tout cela sur une plaque chauffante placée entre nous sur la table. Ses mains s'affairaient avec des gestes experts, vidant nos saladiers sur la plaque graissée et aplatissant les ingrédients pour former deux cercles parfaits. Je l'observai en sirotant une bière froide. Il travaillait avec concentration, retournant les crêpes d'un habile petit coup de spatule avant de les saupoudrer de flocons de poisson et d'algues. Soudain, je me souvins de ses leçons de pêche. Il remontait les rames de la barque, m'installait entre ses jambes et me laissait tenir la canne au moment de lancer la ligne, sa main autour de la mienne. Ses paumes étaient douces et toujours chaudes. Alors, tandis que je l'étudiais dans ce restaurant, une pensée me traversa l'esprit comme un violent élancement de douleur : mon père ne connaîtrait jamais l'homme que j'avais aimé. Jamais il ne saurait ; cela nous séparerait toujours.

Comme alerté, il leva brusquement le regard sur moi. Puis il brandit son verre et attendit que je l'imite pour le faire tinter contre le mien. Alors la souffrance se dissipa.

— Si nous mangions ?

Il n'en dit pas plus, mais ses yeux gris s'attardèrent sur mon visage.

Je restai à Tokyo près d'un mois. Assez longtemps pour que nous adoptions une routine quotidienne. Nous dînions à l'extérieur tous les soirs, généralement dans l'un des petits restaurants des environs. Certains jours, nous nous retrouvions en ville pour déjeuner, généralement au Musée national d'Art moderne, où nous pouvions manger dehors les jours ensoleillés. Je prenais parfois le train pour aller en ville, la plupart du temps pour arpenter les rues et observer les gens. Je me rendis à plusieurs reprises à Asakusa, où je m'arrêtais déjeuner dans le petit restaurant que mon père m'avait fait découvrir lors de mon premier week-end. Assise à même le sol dans la salle sombre, entourée d'objets asiatiques, je me laissais transporter dans un monde où je n'avais ni passé ni avenir.

Un après-midi, je marchai jusqu'à la tour de Tokyo. Au pied de cette imitation de tour Eiffel, j'observai la foule, mais je n'entrai pas. Je poursuivis ma flânerie, découvrant en chemin un grand temple bouddhiste. À l'arrière, une terrasse accueillait des centaines de petites statues de pierre, pour la plupart coiffées d'un bonnet rouge en crochet, drapées d'un bavoir et entourées de moulins à vent colorés, d'ours en peluche et de poupées. Une Européenne d'âge moyen vêtue d'une lourde veste de sport et de chaussures de marche photographiait ce spectacle avec un objectif à longue focale. Je regardai la scène, immobile. Au bout d'un moment, elle baissa son appareil et se tourna vers moi.

— *Mizukos*, dit-elle. Ça veut dire « enfants d'eau ». Ce sont les enfants qui n'ont jamais opéré la transcendance de l'eau à la vie humaine.

Elle traça un large demi-cercle dans l'air, indiquant les rangées de statuettes coiffées de rouge.

— Et voici leur protecteur.

Du doigt, elle pointa une grande sculpture représentant un homme portant un bâton dans une main et un bébé sur le bras opposé.

— C'est Jizo, la divinité bouddhiste qui veille sur les enfants qui n'ont jamais vu le jour.

Elle me considéra avec un sourire timide.

— Excusez-moi, vous devez déjà savoir tout ça. Mais c'est tellement émouvant. Tous ces enfants! Tout ce chagrin! Surtout qu'il n'y a pas vraiment de délivrance possible pour eux, vous savez, avec ou sans Jizo. Non, les enfants d'eau sont condamnés à jouer au bord du fleuve qui coule entre ce monde et l'autre rive. Ils construisent des tours avec des galets, c'est leur pénitence. Un monstre les surveille. Pour l'éternité. Et il y a cette terrible culpabilité réciproque : celle de l'enfant, qui a causé tant de peine à ses parents en ne naissant pas ; et celle des parents, qui ont envoyé l'enfant dans des limbes éternels en ne lui donnant pas la vie. La culpabilité réciproque…

Elle baissa les yeux, martelant le gravier de la pointe de sa chaussure.

— Excusez-moi, dit-elle encore en rangeant son appareil photo dans son étui.

Elle prit congé avec un signe de tête et s'éloigna à pas lourds sur le sentier. Je marchai devant les rangées de *mizukos*, les mains dans les poches. Le croassement d'un corbeau se mêlait parfois au sifflement des moulins à vent.

Le samedi matin précédant mon départ, mon père et moi partîmes pour Nikko, où nous avions réservé une nuit dans un hôtel japonais traditionnel. Nous descendîmes du train directement dans la petite ville, déposâmes nos sacs dans des casiers à la gare et montâmes d'un pas tranquille jusqu'au principal temple. Nous nous laissâmes porter par la foule, l'ambition nous manquait pour pousser notre exploration au-delà des sentiers battus. Un soleil pâle brillait. L'air était chaud et sec, si bien que nous finîmes par retirer notre veste. Je gravis l'escalier de pierre raide derrière mon père, les yeux sur son dos. Il montait lentement, en haletant, s'arrêtant de temps à autre pour se reposer un peu, sans toutefois vouloir admettre son besoin d'une halte. Soudain, je le vis tel qu'il devait apparaître aux autres : un homme proche de la soixantaine, souffrant d'un léger embonpoint et d'un début de calvitie, bien habillé et soigné de sa personne, poli et secret. Lui ressemblais-je ? Lui ressemblerais-je davantage au fil des ans ? Enfant, je rêvais d'être le portrait de ma mère, ma ravissante mère si glamour, mais on me disait que je tenais de mon père. Tout à coup, je puisai un certain réconfort dans cet air de famille. C'était pour moi rassurant de savoir que l'homme devant moi était mon père, et que j'étais sa fille.

Nous arrivâmes en fin d'après-midi à l'hôtel, au premier abord totalement dépourvu de charme. Les brochures avaient réussi le tour de passe-passe de tenir un discours tout à fait juste et pourtant parfaitement inexact. Nous avions commis l'erreur d'assimiler « l'authentique japonais » au « charme japonais ». Cependant, après notre déception initiale en découvrant un établissement de taille considérable à l'atmosphère de centre de conférences, nous commençâmes à nous y plaire. Bien que petite et sans ornement, notre chambre donnait sur un jardin paisible planté d'arbres majestueux. Après avoir pris possession des lieux, nous revêtîmes chacun le *yukata* qui nous était fourni en vue du bain traditionnel que nous avions programmé avant le dîner. Je me retrouvai seule dans les bains des dames. J'ignorais tout des rituels et je fus soulagée de me voir livrée à moi-même. Après m'être lavée, je me glissai toute nue dans l'eau et m'assis sur le rebord qui courait sur toute la longueur du bassin, laissant flotter mes pieds devant moi. L'eau, très chaude et sombre, sentait le soufre. Je me laissai porter dans la solitude de la vaste salle avec, une fois de plus, la sensation de ne plus exister dans le monde réel, d'avoir pénétré dans un étrange espace entre la vie et la mort.

Après le bain, nous fûmes conduits dans notre petite salle à manger privée. Agenouillés côte à côte, nous regardâmes la serveuse aller et venir entre des rideaux pour nous présenter les plats un par un. Alors que nous parlions de son travail, mon père évoqua pour la première fois sa retraite, qu'il envisageait de prendre en avance si la possibilité lui en était donnée. Il me regarda ensuite dans les yeux et, de but en blanc, me demanda si j'avais reçu des nouvelles de ma mère récemment. Il y eut un silence gêné avant que je lui réponde par la négative. Il parut déçu.

Notre dîner terminé, nous regagnâmes notre chambre. Après avoir commandé une bière au room-service, nous nous assîmes sur nos futons dépliés pour la boire. Je lui annonçai alors que je partirais à la fin de la semaine suivante. Mon vol était confirmé, je prendrais l'avion pour Stockholm le vendredi. Je savais qu'il avait depuis longtemps prévu de passer Noël à Bali, je ne voulais pas lui causer du souci en prolongeant mon séjour.

Il hocha la tête, mais ne dit rien.

Nous éteignîmes bientôt les lumières pour nous coucher. Je m'étendis sur le flanc, le visage vers la fenêtre. Tout était silencieux et calme. Quand, un peu plus tard, je me tournai de l'autre côté, je me retrouvai face au dos de mon père. Tiré sur lui, son édredon ne révélait que le sommet de son crâne. Bien que légère, sa respiration s'interrompait parfois le temps d'une courte pause, comme un hoquet dans le flux d'air. Je roulai sur le dos, soudain submergée par un immense chagrin : une tristesse douce et vague, différente de la douleur physique, à vif, que j'avais connue auparavant. Me retournant sur le flanc, je me pelotonnai dans mon lit.

Et, pour la première fois depuis que j'avais quitté Auckland, je pleurai.

Le lendemain, nous réglâmes la note après le petit déjeuner et nous rendîmes aux cascades avant de reprendre le train pour Tokyo.

Le matin de mon départ, je préparai ma valise, pris une douche et m'habillai. J'avais rapporté à mon père une petite néphrite sculptée de Nouvelle-Zélande, que j'allai déposer dans sa chambre. Je m'apprêtais à la laisser sur sa table de chevet quand je remarquai un exemplaire de mon livre, enseveli sous deux ou trois magazines d'affaires. Je pris le volume entre mes mains, le soupesai. Il était abîmé et corné, comme s'il avait été lu et relu, feuilleté, baladé par monts et par vaux. L'ouvrant, je survolai la dédicace : « À mon père, mon compagnon de voyage. »

Je le reposai ensuite sur la table de nuit, sous le petit sachet contenant la néphrite.

Mon père avait insisté pour me conduire à l'aéroport, mais j'avais refusé sans appel. Nous avions alors trouvé un compromis : il rentrerait du travail pour m'accompagner jusqu'à l'arrêt de bus. Je me tenais prête, postée à la fenêtre, quand sa voiture s'arrêta devant l'entrée de l'immeuble. Il émergea de l'ascenseur pour m'aider à porter mon sac juste au moment où je refermais la porte derrière moi. Nous avions prévu assez de temps pour déjeuner ensemble une fois que j'aurais enregistré mes bagages au dépôt de bus. Nous nous installâmes donc à une petite table collée contre une paroi de verre qui se dressait entre la salle et une cour vitrée. La lumière du jour traversait une verrière élevée pour illuminer une composition de pierres de granit lisses et d'herbes hautes. Nous commandâmes du champagne et du jus d'orange, que nous bûmes tranquillement en attendant nos plats.

— J'aimerais…, commença-t-il.

Sa phrase flotta dans l'air, inachevée, tandis que son regard se posait sur les pierres derrière la vitre. Après s'être éclairci la gorge, il reprit :

— Si tu as besoin de quoi que ce soit, dis-le-moi.

À cet instant, la serveuse nous apporta notre commande et nous commençâmes à manger.

Je le convainquis de partir avant l'arrivée de la navette. Nous nous dîmes au revoir dans le hall de l'hôtel. Il me prit dans ses bras, puis laissa sa paume glisser sur mon bras jusqu'à ma main, qu'il serra un peu avant de la relâcher brusquement. Après s'être retourné une fois pour m'adresser un signe, il disparut au coin de la rue.

Lorsque je m'envolai pour Stockholm, je ne savais toujours pas où j'allais.

# 32

*... des chansons douces je te chanterai.*

Elles rentrèrent dans la chaleur de l'après-midi et conclurent d'un commun accord qu'une baignade semblait une bonne idée. Après s'être rapidement changées, elles remontèrent donc en voiture et prirent la direction du lac.

Cette fois, deux autres véhicules étaient garés au bout de la route et elles trouvèrent un groupe d'adolescents en train de chahuter dans l'eau et de se pourchasser sur le sable à grands cris. Cependant, une fois assises, elles disposaient de suffisamment d'espace pour jouir d'une intimité presque totale.

Astrid eut un petit sourire pincé, puis ôta son corsage et sa jupe. Elle se leva alors avec des mouvements maladroits qui contrastaient avec son assurance du matin. Le maillot de bain aux couleurs criardes s'accordait mal avec l'expression d'incertitude, de crainte, même, sur le visage de la vieille femme. Veronika retira son short et lui tendit la main.

— Venez, allons à l'eau, dit-elle en la tirant derrière elle.

Elles s'enfoncèrent dans le lac sombre et lisse, chancelant un peu au moment de traverser le banc de galets qui précédait le sable doux.

— Tout est dans la respiration, dit Veronika. L'essentiel se trouve souvent dans les choses simples, vous ne croyez pas? Pour la peinture et la photographie, il paraît que tout est dans le regard. Pour l'écriture, dans l'observation. La technique est secondaire. Parfois, les choses les plus simples sont aussi les plus difficiles.

Elle recueillit de l'eau dans le creux de ses mains pour s'éclabousser le visage.

— Pour la natation, tout est dans la respiration. Pensez à respirer.

Elle s'agenouilla dans le lac de façon que seuls le haut de ses épaules et sa tête demeurent hors de l'eau. Elle fit alors signe à Astrid de l'imiter.

— On est bien, non?

Astrid acquiesça sans un mot, les lèvres serrées.

— Mettez-vous dos à moi.

La vieille femme s'exécuta.

— Maintenant, appuyez-vous sur mon bras. Je vais vous soutenir les épaules pendant que vous allongerez les jambes.

Lentement, la vieille femme se laissa aller en arrière jusqu'à reposer sur le bras de Veronika.

— Écartez les bras, regardez le ciel. Laissez-vous porter par l'eau. Et, surtout, respirez.

Lentement, les orteils d'Astrid émergèrent de l'eau comme de pâles champignons poussant sur la surface immobile. Elle lâcha un « ah ». Rien de plus.

Lorsqu'elle parut à l'aise, et sa respiration calme, Veronika retira progressivement son bras de sous ses épaules, jusqu'à ce qu'elle ne soit plus soutenue que par un léger contact de sa main sous sa tête, puis seulement du bout de ses doigts.

Lorsque Astrid se releva, elle se pencha vers la jeune femme pour poser sur ses joues ses paumes fraîches à la peau fripée.

— Merci, dit-elle.

Puis elle regagna la plage d'un pas incertain tandis que Veronika prenait le large et plongeait dans l'eau dorée.

Lorsqu'elle revint de sa baignade, elle trouva Astrid assise dans sa position coutumière, les jambes tendues devant elle.

Son chapeau de soleil décoloré sur la tête et ses lunettes sur le nez, elle lisait un petit ouvrage.

— Ça faisait tellement longtemps que je ne l'avais pas ouvert, remarqua-t-elle en tendant le livre à Veronika. Karin Boye. Asseyez-vous que je vous lise ce poème.

D'un geste, elle indiqua la couverture. Veronika s'assit, les bras autour de ses tibias, les yeux plissés en direction du lac.

— « *Min stackars unge.* » C'est le titre : « Mon pauvre enfant. »

La voix d'Astrid chevrota un peu lorsqu'elle entama sa lecture :

Mon pauvre enfant, terrifié par le noir,
qui a croisé des esprits d'une autre nature,
qui toujours parmi ceux de blanc vêtus
croise d'autres au visage mauvais,
des chansons douces je te chanterai,
de la peur elles libèrent, de la violence et des fers.
Du mal elles ne demandent pas repentance.
Du bien elles ne demandent pas le combat.

Vois, il te faut savoir que toute vie
est, au plus profond, de même nature.
Tels l'arbre et la plante, à tâtons elle grandit
par ses lois internes portée vers le ciel.
Et l'arbre de tomber, et la fleur de faner,
et la branche de casser, privée de sa force,
mais le rêve se tapit – attend le réveil –
dans chaque goutte de sève qui vit.

Elle déchaussa ses lunettes et ferma le recueil.

— J'ai toujours aimé ce poème, observa-t-elle en laissant le livre glisser sur ses genoux. « Des chansons douces je te chanterai. » Ce vers est si beau.

Comme Veronika tendait la main, Astrid lui remit l'ouvrage ouvert à la page du poème.

— Je ne le connaissais pas, remarqua la jeune femme, les yeux sur le texte, qu'elle étudia un moment en silence. En effet, c'est très beau.

Et, le volume toujours entre les mains, elle contempla le lac.

Elles reprirent la route avec les vitres ouvertes et la caresse du vent sur le visage. Lorsque Veronika s'arrêta pour déposer Astrid devant son portail, la vieille femme se tourna vers elle.

— Je crois que je vais considérer cette journée comme mon anniversaire à moi aussi. Je vous attends donc pour notre fête d'anniversaire commun, ce soir.

Elle posa sa main sur celle de Veronika, puis descendit de voiture.

Nue et ruisselante, Veronika essuya la buée sur le miroir au-dessus du lavabo, en sortant de la douche, pour contempler l'image qu'il lui renvoyait. Elle avait l'impression de n'avoir plus vu son reflet depuis très longtemps. Elle étudia son visage : les grands yeux verts bordés de courts cils noirs sous des sourcils sombres bien dessinés, le long nez, la bouche large. Elle se demanda si elle n'avait pas perdu du poids. Son visage paraissait plus mince, ses joues creusées. À moins que ce ne fût l'âge. Elle souleva ses cheveux, examina son menton. Toucha ses seins, les soupesa en se demandant s'ils avaient vieilli eux aussi. Promena ses paumes sur ses bras, son ventre, ses cuisses. Sentit la douceur.

Elle enfila un jean et une chemise blanche, puis, un verre de vin blanc à la main, alla s'asseoir sur les marches du perron. La chaleur persévérait dans l'air. Levant les yeux sur le ciel, qui s'arquait à l'infini au-dessus d'elle, elle sut que c'était le moment du changement : rien n'avait bougé depuis la seconde précédente, pourtant tout était irrévocablement différent. Après un temps d'arrêt, l'été battait lentement en retraite.

De la musique s'échappait par la fenêtre de la cuisine ouverte lorsqu'elle approcha de la maison d'Astrid. Les notes profondes de la sonate de Brahms intensifièrent son sentiment de vide, conscience de la finitude du temps, de l'imminence d'une fin. Elle se figea, les yeux sur l'ouverture derrière laquelle Astrid allait et venait dans la pièce éclairée, et fut submergée par un souvenir d'enfance. Elle se trouvait devant une maison et regardait ses parents s'embrasser par la fenêtre. Elle ne s'était encore jamais rendu compte que c'était son unique souvenir d'un geste affectueux entre eux. Elle ne devait pas être très âgée, cinq ans peut-être, ce qui ne l'empêchait pas de traîner dans le noir, seule, dehors.

Dans la cuisine, Astrid s'affairait aux fourneaux. Sur la table étaient disposés un plat de gravlax finement tranché et un petit bol de sauce à la moutarde, à côté d'un panier rempli de pain de seigle noir. Deux flûtes se dressaient près d'une bouteille de bon champagne français frappé. Comme lors du premier repas qu'elles avaient partagé, Astrid avait sorti le fragile service de porcelaine, complétant le couvert de verres à vin en cristal décorés de dorures. La vieille femme allait et venait à pas décidés entre la cuisinière et la table, sa jupe rouge ondulant autour de ses jambes. Elle avait troqué son corsage blanc pour une veste de soie crème très fine, dont elle avait remonté les larges manches sur ses bras nus. Remarquant le regard de Veronika, elle haussa les épaules d'un air gêné.

— Je sais, c'est une drôle de tenue. Pas vraiment prévue pour des événements sociaux. Ça appartenait à ma mère. J'imagine que c'est une sorte de veste de déshabillé. Mais elle est tellement belle, je me suis dit qu'elle convenait bien à un dîner de fête.

Avec un petit sourire, elle retourna à sa cuisinière.

Veronika servit le champagne et elles trinquèrent dans un doux tintement de verre. Puis, pendant qu'Astrid cuisinait, elles dégustèrent des tranches de pain garnies de sauce à la moutarde et de saumon mariné. Les rayons du soleil couchant ouvraient des brèches obliques dans la cuisine, où ils se fondaient à la lumière électrique au-dessus de la table. Les bougies vacillaient dans le souffle du vent chaud qui se glissait par la fenêtre.

— Nous pouvons nous mettre à table, déclara Astrid en abandonnant la cuisinière, un plat et un saladier dans les mains. J'ai eu une journée mouvementée. Riche en expériences nouvelles. Ce plat, lui, n'est pas nouveau, mais je ne l'avais encore jamais fait. Et ça fait très longtemps que je n'en ai pas mangé. Ma mère le faisait souvent, c'était mon préféré. Elle lui donnait un nom précis, mais mon père appelait simplement ça des « boulettes de poisson ».

Elle déplia sa serviette sur ses genoux puis tendit le plat à Veronika pour l'inviter à se servir.

— J'ai commandé du brochet frais à la boutique, précisa-t-elle en posant le poisson sur la table.

Elle observa attentivement son invitée tandis qu'elle garnissait son assiette de pommes de terre nouvelles, de pois mange-tout et, enfin, de boulettes de poisson. Elle ne bougea pas jusqu'à ce qu'elle eût avalé sa première bouchée.

— C'est délicieux, déclara Veronika en prenant conscience de l'accent surpris de sa voix. Absolument délicieux.

Astrid la gratifia d'un sourire et se servit enfin. Elle avait acheté du vin de Nouvelle-Zélande, qu'elle avait commandé au magasin et rapporté chez elle à pied. À la pensée des multiples allers et retours jusqu'au village que la vieille femme s'était imposés en vue de ce dîner, Veronika sentit sa gorge se serrer. Mais lorsqu'elle étudia Astrid, son visage reflétait la paix et le bonheur, voire une certaine joie anticipée. Se détendant, elle but une petite gorgée de vin frais et laissa ses saveurs imprégner sa bouche.

Le repas terminé, elles débarrassèrent leurs assiettes. Puis Astrid disparut dans le garde-manger pour en revenir avec un saladier en cristal taillé à moitié rempli de fraises sauvages.

— Je voulais faire un gâteau, mais je n'ai pas eu le temps. J'ai tant nagé ! ajouta-t-elle avec un sourire. Mais je les aime autant comme ça, avec juste une noix de crème.

Elle s'assit et fit glisser un paquet fin sur la table.

— C'est pour vous. Joyeux anniversaire, Veronika.

La jeune femme ouvrit son cadeau, révélant un petit livre en cuir relié, dont la couverture, marron foncé, était usée et craquelée.

— C'est le journal intime de ma mère, expliqua Astrid. Vous y trouverez la recette des boulettes de poisson. Et bien d'autres choses.

Elle contourna la table pour s'asseoir sur la chaise à côté de Veronika.

— Ça commence comme un journal, au mois d'avril de l'année de ma naissance. Là, regardez.

Avec précaution, elle ouvrit le carnet à la première page.

— « À Sara, pour son anniversaire, de la part de Tate. » C'était un cadeau de mon grand-père. Et vous verrez que ça ressemble à un journal intime au premier abord. Elle n'écrivait pas tous les jours, juste de temps à autre, mais, au début, il y a de courtes notes datées sur sa vie. C'est personnel, direct. Vous remarquerez une différence au fil de votre lecture.

Astrid tourna lentement les pages, les parcourant des yeux.

— Je l'ai lu tant de fois que chaque page est gravée dans ma mémoire. Chaque mot, même l'aspect de l'encre sur le papier. Je n'en ai plus besoin. Mais je veux le savoir entre les mains de quelqu'un qui saura le protéger.

Refermant le carnet, elle le fit glisser vers Veronika, sa paume à plat sur la couverture de cuir.

— Je ne peux imaginer meilleure gardienne que vous.

Veronika saisit le carnet entre ses mains, les larmes aux yeux.

— Oh, Astrid…

Elle se pencha en avant pour déposer un baiser sur le front de la vieille femme.

— Je le garderai, et je le protégerai. Merci.

Astrid retourna à sa place, de l'autre côté de la table.

— Ne le lisez pas tout de suite. Attendez d'être prête. Il n'y a pas d'urgence. Vous avez le temps.

Veronika acquiesça d'un lent hochement de tête.

— Quand je me suis réveillée, ce matin, j'ai pensé à mon dernier anniversaire, raconta-t-elle. Je croyais que je ne passerais plus jamais de bon anniversaire.

Elle considéra Astrid et tendit le bras sur la table pour lui prendre la main.

— Mais vous m'avez offert le plus bel anniversaire de toute ma vie.

— N'oubliez pas, c'est aussi le mien, observa Astrid.

Et elle sourit.

# 33

*... et qui porte le regard vers les étoiles*
*ne sera plus jamais tout à fait seul.*

L'été avait tourné. Le temps restait toujours chaud et ensoleillé, mais l'air devenait chaque matin un brin plus frais, la
lumière un ton plus crue, les soirs un cran plus sombres. Les
pommes mûrissaient sur les branches des arbres du verger et
Veronika aida un jour Astrid à cueillir les cerises qui avaient
échappé aux incursions des oiseaux dans le vieil arbre.
Il n'en restait pas assez pour faire de la confiture, mais,
dans l'après-midi, elles dégustèrent les fruits sucrés assises
à l'ombre du porche.

Un soir, Veronika s'installa à la table de sa cuisine. Son
manuscrit prenait tournure et elle suivait son évolution avec
une excitation croissante. Ce n'était pas le livre de James,
elle avait fini par le comprendre. Celui-ci s'était imposé, or
elle commençait à croire qu'il devait en être ainsi, et pas
autrement. Elle écrirait le livre de James. Le moment venu.

Elle se leva et, étirant les bras au-dessus de sa tête, se
dirigea vers la porte pour sortir sur le perron. Une pleine
lune jaune vif souriait dans le ciel noir, juste au-dessus de
la cime des arbres. En ce samedi de la mi-août, elle avait
invité Astrid pour la traditionnelle dégustation d'écrevisses.
Elles avaient adopté une confortable routine rythmée par

des promenades journalières et des dîners hebdomadaires ou bihebdomadaires, jouant les hôtes en alternance. L'existence avait pris un rythme prévisible et tranquille. En paix, Veronika vivait pleinement le présent.

Alors qu'elle était sur le point de s'asseoir sur les marches, son téléphone portable sonna. Bien qu'étouffées, les notes émises à l'étage déchirèrent la quiétude par leur insistance inattendue. Elle monta l'escalier de bois en courant et réussit à décrocher à la dernière sonnerie. C'était son père.

La lune brillait un peu plus haut dans le ciel lorsque Astrid arriva avec une guirlande électrique de petits lampions.

— Je l'ai trouvée dans le débarras, sourit-elle. Je ne sais pas si elle fonctionne, c'est peut-être dangereux de la brancher.

Ignorant l'avertissement, Veronika s'en empara et entreprit de démêler le cordon. Elle avait dressé la table pour deux et l'avait décorée de serviettes en papier rouge, ainsi que de chapeaux pointus et de bavoirs ridicules exigés par la coutume. Sur un plateau s'amassait une montagne de petites écrevisses couronnée d'un bouquet d'aneth. Du pain, du beurre et deux fromages complétaient la table, sans oublier une bouteille glacée d'aquavit. Sur le plan de travail, son ordinateur portable diffusait des chansons à boire traditionnelles.

Voyant Veronika se débattre avec le fil électrique, Astrid saisit l'autre bout et, à elles deux, elles réussirent à débrouiller les nœuds. Veronika grimpa ensuite sur une chaise pour accrocher une extrémité de la guirlande à la fixation du store, avant de passer de l'autre côté pour pendre l'autre. Le rang de lampions se creusa en un grand arc au milieu de la fenêtre. Lorsqu'elle brancha la prise au mur, toutes les ampoules s'allumèrent à l'exception d'une. Astrid éteignit la lampe et, sans autre éclairage que les lampions et les bougies, la pièce revêtit une nouvelle atmosphère. Les coins s'évanouirent dans l'obscurité et la table se para d'un air festif, un brin mystérieux. Veronika arrêta les chansons à boire pour mettre un CD de musique folklorique et elles s'assirent pour manger.

— Mon père m'a téléphoné aujourd'hui, dit-elle alors qu'elles terminaient les dernières écrevisses.

Astrid leva le nez de son assiette, ses lèvres serrées autour d'un bout de crustacé.

— Il appelait pour m'annoncer qu'il rentre en Suède. On lui a proposé la retraite anticipée. Il voulait savoir s'il pouvait espérer me voir une fois qu'il sera installé. Et, éventuellement, si j'aimerais partir en vacances avec lui. Que nous fassions un autre voyage ensemble.

D'un doigt distrait, Veronika poussa les carapaces vides dans son assiette.

— Il a dit que je lui avais manqué.

Ses yeux étaient fixés sur ses mains, mais son esprit était ailleurs.

— Et je me suis rendu compte qu'il m'avait manqué aussi. Depuis quelque temps, je me demande si je ne devrais pas retourner en Nouvelle-Zélande, si je n'ai pas besoin de ce voyage pour tourner la page.

Elle considéra Astrid.

— J'ai l'impression que je suis partie sans mettre un point final à ma vie là-bas, que je dois y retourner.

Astrid s'essuya les doigts à sa serviette en papier.

— Je crois qu'il suffit de s'écouter pour savoir ce que l'on a à faire, observa-t-elle d'une voix lente. Et, quand j'y songe, je crois que, si douloureux, si difficile que ce soit, il faut écouter cette voix à l'intérieur de soi. Il faut vivre sa vie.

Elle regarda Veronika, la tête légèrement inclinée, comme si elle cherchait les mots justes.

— Ça fait six mois que vous êtes ici. Il est peut-être temps. Quand vous serez prête. Rien ne presse. Un jour viendra où votre décision ne fera plus aucun doute.

Elle se servit un petit verre d'aquavit avant de tendre la bouteille à Veronika.

— Buvons, dit-elle en levant son verre. À vous, Veronika. À votre vie.

Elle reposa son verre sur la table et étudia la jeune femme, la tête penchée sur son épaule.

— Il nous reste des choses à faire, déclara-t-elle. C'est la saison des airelles rouges. Des champignons, aussi. M'accompagnerez-vous dans la forêt?

Veronika acquiesça de la tête. Le marché était conclu.

Mais, le lendemain matin, Veronika se réveilla avec le bruit de la pluie. Elle eut beau regarder par la fenêtre, elle ne voyait rien; c'était à peine si elle distinguait la maison d'Astrid à travers la trombe d'eau. Il plut toute la journée, puis le déluge faiblit à l'approche du soir, comme s'il économisait ses forces pour durer plus longtemps. Vêtues d'un imperméable et de bottes, les deux voisines partirent pour leur promenade quotidienne. Il leur fallut cependant reporter leur expédition en forêt de trois jours.

Et puis, enfin, des cieux clairs. Elles attendirent un jour supplémentaire, pour laisser à la terre le temps de sécher un peu. Lorsque Veronika frappa à la porte d'Astrid, à une heure matinale, l'atmosphère ne s'était pas encore réchauffée. Elle attendit sous le porche, emplissant ses poumons d'air pur. L'humidité ambiante faisait ressortir le parfum de l'automne, une odeur de feuilles mouillées, d'écorce, de sable et d'argile.

— Ce n'est pas que nous aurons besoin de confiture pour l'hiver, que ce soit vous ou moi, avait observé Astrid avec un drôle de petit sourire, accrochant son regard. Mais, pour moi, c'est l'une des activités les plus agréables par ici. Il faut que vous en fassiez l'expérience.

Elle avait marqué une pause, comme si elle voulait laisser à ses mots le temps de produire leur effet avant de poursuivre:

— S'il fait beau, nous pourrons pique-niquer. Et nous irons dans tous mes endroits secrets, là où les airelles poussent à foison. Nous trouverons peut-être aussi des champignons, même s'il est un peu tôt pour ça.

Inspirant une nouvelle bouffée d'air transparent, Veronika sut que cette journée tiendrait ses promesses. Astrid ouvrit la porte, son panier à la main et ses bottes tronquées aux pieds. Veronika portait leur déjeuner dans son petit sac à dos. Elles partirent à travers champs pour rejoindre la forêt, s'enfonçant dans la pénombre calme et fraîche des sapins touffus. Astrid progressait au ralenti sur le relief en pente. Derrière elle, Veronika gardait les yeux rivés sur son dos. La vieille femme paraissait dans son élément, évoluant lentement mais sûrement. Ses pieds trouvaient des appuis stables avec naturel et elle se déplaçait avec grâce et détermination.

La forêt obscure se clairsema à mesure qu'elles prenaient de l'altitude et finit par laisser place à de hauts pins qui ne se nourrissaient visiblement que de la mousse blanche sous laquelle disparaissaient leurs racines. Leurs troncs s'étiraient, droits et lisses, vers le ciel, et une odeur de résine et d'aiguilles imprégnait l'air. Par terre, la mousse était pailletée de petites baies rouges. Astrid et Veronika commencèrent leur cueillette. Les airelles poussaient en grappes, ce qui leur permettait de s'asseoir confortablement le temps de détacher toutes les baies d'une même branche d'arbrisseau. Veronika se concentra sur la tâche, le dos chauffé par le soleil matinal. Quand elle releva la tête, elle trouva Astrid étendue sur la mousse, les yeux rivés sur le ciel.

— Merci, Veronika, dit la vieille femme.

Veronika sourit.

— Pour quoi?

— Eh bien, pour tout ça. Tout.

Leurs paniers remplis de baies, elles reprirent leur marche, regagnant la forêt. Astrid s'arrêta bientôt devant un grand bloc de granit. Elle tendit le bras pour tapoter la mousse qui tapissait la pierre.

— C'est elle. Ma pierre de prière. C'est ici que je m'arrêtais, quand je croyais encore que les prières comptaient pour quelque chose.

Elle demeura un moment immobile, la main sur le granit, perdue dans ses pensées. Après quoi, elle repartit, menant la marche à travers l'épaisse forêt. Il ne semblait y avoir aucun sentier alentour et, malgré les efforts constants d'Astrid pour écarter les branches sur leur passage, la végétation leur égratignait les bras.

Soudain, la forêt cessa. Repoussant les derniers branchages, elles émergèrent dans la lumière éclatante du soleil. C'était exactement comme Astrid l'avait décrit : un cercle au milieu d'un mur compact d'arbres ; de l'herbe moelleuse, soyeuse et brillante au soleil, de la couleur du lin sec, parsemée çà et là de fraisiers sauvages aux feuilles jaunissantes. C'était un endroit épargné par le vent, d'un calme étrange, d'une chaleur apaisante et d'une paix absolue. Au-dessus s'étendait un ciel immaculé d'un bleu transparent. Elles s'assirent dans l'herbe. Veronika préleva une baie de son panier et laissa sa fraîcheur acidulée emplir sa bouche. Toutes les deux gardèrent le silence.

Au bout d'un moment, elles sortirent leur déjeuner, composé de sandwichs et de café, et mangèrent sans se presser. Le soleil chauffait dans cet endroit protégé par les arbres, au point qu'elles retirèrent leur veste et s'étendirent dessus. Veronika observa le vide douloureux du ciel. Le reste du monde paraissait lointain, irréel. Elle ferma les yeux.

Soudain, elle sentit la main d'Astrid sur son bras.

— Regardez, chuchota la vieille femme.

Le soleil avait décliné et les ombres des arbres envahissaient la clairière. Comme ses yeux suivaient le regard d'Astrid, Veronika aperçut un grand oiseau gris qui traversait sans un bruit le rond bleu du ciel. Un hibou. Astrid posa son doigt sur ses lèvres.

— Chuuuut, souffla-elle tout bas.

L'oiseau sillonna encore l'espace au-dessus d'elles de son vol majestueux avant de disparaître dans l'obscurité des arbres. Elles se redressèrent et Astrid se tourna vers Veronika, souriante.

— C'est l'heure de rentrer.

La vieille femme n'emprunta pas le même itinéraire qu'à l'aller. Une mousse épaisse tapissait le sol, camouflant de sa douceur trompeuse de profondes crevasses et des pierres. Elles devaient bien regarder où elles posaient les pieds et Astrid ne quittait pas le sol des yeux. Tout à coup, elle s'arrêta net et se baissa : elle venait de trouver une petite parcelle de terre presque entièrement recouverte de champignons d'un orangé éclatant.

— Regardez, dit-elle. Des lactaires. Des lactaires délicieux.

Elle sortit de sa poche un petit couteau pour les couper au pied.

— Ceux-là, personne n'en veut, remarqua-t-elle, concentrée sur sa tâche.

Quand elle se redressa enfin, un petit tas de champignons s'amoncelait au-dessus des baies grenat dans son panier. Elle en montra un à Veronika.

— Voyez, ils pleurent quand on les coupe.

Brisant un morceau du chapeau, elle regarda des larmes de lait vermillon converger vers le bord.

— On dirait du sang. C'est peut-être pour ça que les gens ne les aiment pas.

Elle reposa le champignon dans son panier et essuya ses doigts à son pantalon.

— Une sorcière ne pourrait pas rêver mieux, ajouta-t-elle avec un petit sourire.

Tout au long du chemin, Astrid trouva d'autres champignons, remplissant son panier à ras bord. Lorsqu'elles quittèrent la forêt et descendirent à travers les prairies en direction des maisons, le soleil s'était coulé sous la cime des arbres et colorait le ciel au-dessus du village de rose pâle, voilé par la brume qui montait de la rivière.

— Je vais les nettoyer, nous ferons une omelette aux champignons pour le dîner, dit Astrid. Enfin, si vous voulez, ajouta-t-elle avec un coup d'œil à Veronika. Nous pouvons trier les baies et faire la confiture avant de manger. Venez, nous allons installer le petit réchaud dehors, dit-elle en posant son panier sur le perron. Je vais ouvrir la fenêtre et brancher la rallonge.

— Et moi, je file chercher du vin, répondit Veronika.

Tandis que le soleil se couchait sur l'horizon, elles nettoyèrent les airelles, qui leur glissaient entre les doigts, sèches et luisantes. Toutes deux s'étaient prêtées à une cueillette attentive, si bien qu'il ne leur restait plus qu'à ôter une aiguille de pin par-ci, une minuscule feuille par-là. Lorsqu'elles eurent vidé les deux paniers, la grande marmite d'Astrid était à moitié remplie de billes rouges. Après y avoir ajouté du sucre, elle la posa sur le feu. Le doux parfum de la confiture en ébullition envahit l'air tandis qu'elles se reposaient, un verre de vin à la main. Astrid passa ensuite au nettoyage des champignons, les laissant tomber un par un dans une jatte après en avoir gratté les impuretés, qui échouaient sur le torchon dont elle s'était couvert les genoux. Parfaitement à l'aise, elle œuvrait d'une main preste et experte, envoyant les champignons propres dans le récipient d'un petit mouvement leste du poignet.

— Vous aviez raison, observa Veronika. C'était une journée parfaite.

Astrid leva les yeux et sourit.

— Je pensais bien que ça vous plairait.

Elle posa son regard sur le ciel, qui avait revêtu un bleu sombre et profond teinté d'une pointe de violet.

— Rien ne vaut une bonne cueillette. C'est sans doute un instinct propre à l'homme, ce besoin de récolter avant l'hiver. De ramasser des baies et des champignons. De faire des conserves. De se préparer. J'en ai toujours tiré une immense satisfaction.

Lorsqu'elle eut terminé de nettoyer les lactaires, elle rassembla le torchon sur ses genoux et se leva pour le secouer.

— C'est ma saison préférée, l'automne. Pour certains, c'est la fin de l'année. La mort. Mais, moi, j'y ai toujours vu le début. Pur et propre, dénué de distractions. C'est le moment de mettre de l'ordre dans ses affaires et de s'apprêter pour l'hiver.

Elle se rassit et, s'adossant au mur, fit tourner son verre de vin entre ses doigts tachés.

— Et c'est le cas. Ma maison est en ordre.

Elles s'attardèrent sous le porche. Lorsque l'air se refroidit et que la brume émergea, Astrid rentra chercher deux couvertures de laine. Après s'en être enveloppées, elles s'installèrent confortablement sur le banc dans l'obscurité grandissante. Veronika leva les yeux vers le ciel et, à mesure que sa vue s'ajustait, regarda le vide d'un bleu-noir abyssal se remplir d'étoiles.

# 34

*Un mot ou deux échangés*
*et le départ est aisé.*
*De toutes les rencontres*
*il devrait en aller ainsi.*

La Toussaint, premier samedi de novembre. Veronika se trouvait dans la cuisine, où elle allumait un feu dans le poêle à bois. Malgré le refroidissement, les dernières semaines s'étaient écoulées sous le signe de la douceur et de la tranquillité. Une main prévenante semblait avoir estompé le paysage, posant un léger tapis de neige sur le sol et un voile fin sur le ciel. Le soleil, bas et blême, filtrait à travers le brouillard présent du matin au soir.

Elle avait presque terminé ses valises. Elle était arrivée avec peu d'affaires, et ne repartait pas avec beaucoup plus, pourtant il lui semblait s'être attelée à une entreprise de taille. L'opération s'accompagnait de sentiments aussi intenses que disparates, qu'elle n'arrivait ni à comprendre ni à contrôler vraiment.

Le lendemain matin, elle reprendrait la route pour Stockholm, où elle retrouverait son père. Ses projets s'arrêtaient là, mais elle avait brièvement évoqué avec lui la Nouvelle-Zélande.

— C'est l'un des rares endroits que je ne connais pas, avait-il remarqué. Je ne suis jamais allé en Nouvelle-Zélande.

Il n'en avait pas dit plus, et elle non plus. Elle avait besoin de temps pour décider si elle entreprendrait ce voyage seule ou en sa compagnie. Sûrement comprenait-il.

Elle qui avait toujours redouté et repoussé à la dernière minute le moment de faire ses valises abordait la tâche autrement, cette fois. Le branle-bas, la corvée renfermaient une certaine finalité, voire une pointe d'attente. Tout embryonnaires qu'étaient ses projets, ses actes étaient mûrement réfléchis et délibérés. Elle était prête, elle maîtrisait la situation.

Ce furent pourtant des sentiments totalement différents qui la submergèrent lorsque, attablée devant son café, elle regarda la maison d'Astrid par la fenêtre. Soudain, les conséquences de son départ imminent lui apparurent avec clarté. Jusque-là, ce n'était qu'un poids, une masse douloureuse qui ne la quittait plus, enfouie tout au fond de son esprit. Tandis qu'elle vaquait à ses préparatifs, elle s'était réveillée, le matin, avec le sentiment subconscient d'une tristesse tenace. À présent, elle s'étonnait que des états d'âme aussi contraires puissent cohabiter dans son esprit. Elle comprit alors qu'elle avait fait de cette bâtisse, de ce village, sa maison ; que, pour la première fois, elle s'apprêtait à un départ qui serait teinté de chagrin.

Elle considéra la maison d'Astrid et, bien qu'inerte, la vieille bâtisse lui parut en vie. Lentement, elle quitta sa chaise et monta boucler ses bagages. Sa valise attendait, béante, sur le sol de la chambre, à côté de deux cartons remplis de livres et de CD. Elle fit glisser le tiroir de la table de chevet pour le débarrasser de son contenu : une pince à cheveux, son petit calepin, un stylo et, dessous, le journal qu'Astrid lui avait offert pour son anniversaire. Elle s'assit sur le lit et l'ouvrit. Elle l'avait déjà sorti à deux ou trois reprises, mais elle l'avait chaque fois replacé dans le tiroir sans même en soulever la couverture. Il lui avait semblé qu'il lui fallait plus de temps, une autre perspective, pour s'introduire dans ses pages. Elle les tourna donc avec prudence, d'abord sans les lire, se contentant d'étudier l'écriture aux lettres appuyées et énergiques. Certaines contenaient dans la marge de petits dessins, croquis de plantes et d'oiseaux. D'autres semblaient avoir été composées en plusieurs étapes, comme si l'auteur était revenu dessus, après réflexion, ou avait ajouté des commentaires. Vers la fin du journal, des paragraphes entiers étaient raturés, leur texte rendu illisible par l'encre. Lentement, Veronika tourna les pages à rebours pour commencer sa lecture au début.

« J'ai reçu ce livret pour mon anniversaire. Voilà une éternité que je n'ai pas eu de courrier, et je trouve ce petit livre, accompagné d'une lettre. Je ne comprends pas pourquoi l'enfant n'y est mentionné nulle part. J'écris pourtant toutes les deux semaines, comme par le passé. Ne poste-t-il pas mes lettres ?
» Mais ils vont bien, tous les deux, Tate et Mamele. »

Veronika sauta plusieurs pages.

« Le regard de la bonne se fait fuyant, comme celui des autres. Aujourd'hui, c'est le jour de la lessive et elle étend le linge sur le fil. C'est une gentille fille, mais je sais qu'elle nous quittera bientôt à présent.

» Jour de lessive
Sous le ciel haut
mon cœur pend,
sèche au vent. »

Veronika posa le carnet sur ses genoux et laissa son regard s'échapper par la fenêtre. Elle avait l'impression d'entendre les mots entre ses mains, comme s'ils lui parvenaient depuis la maison muette en face.

« Il ne me regarde plus. Chaque soir, il s'enferme dans son bureau. Je ne peins plus. Je me tiens devant le chevalet, le pinceau à la main, mais c'est le vide dans mon esprit. Je me trouve frappée d'une étrange cécité.

» Mais lorsque je descends à la rivière et que je regarde le bouillonnement furieux de l'eau pressée, les couleurs me reviennent. Il n'y a que là que je les trouve. Jamais dans cette maison. »

Les deux ou trois pages suivantes avaient été déchirées. Elle passa le bout de ses doigts sur les bords déchiquetés du papier disparu.

« Je suis grosse, mais j'aimerais, maintenant, différer l'enfantement. Si seulement je pouvais garder cet enfant en moi, le protéger.

» Je crois qu'il voudrait un fils, s'il y songe seulement. Mais je sais, tout au fond de mon cœur, que c'est une fille. J'ai décidé de ne pas lui donner le nom de ma mère. Je veux qu'elle porte un nom à l'image de cet endroit. Je veux qu'elle puisse vivre heureuse ici. S'il m'y autorise, je la baptiserai Astrid. Celle qui aime. »

Veronika fit défiler les pages jusqu'aux tout derniers mots lisibles.

« Je dois en faire une enfant forte. Aimante, mais forte aussi, parce que »

Il n'y avait pas de point final et la moitié de page restante avait été biffée. L'encre avait tant imbibé le papier que la plume l'avait déchiré par endroits. Veronika referma le carnet et demeura assise, les yeux sur l'autre maison. Elle sortit ensuite la veste en polaire rouge de sa valise et, après en avoir enveloppé le journal avec précaution, plaça ce paquet dans la malle, sous la couche de vêtements du dessus.

Lorsqu'elle eut terminé à l'étage, elle retourna s'asseoir à la table de la cuisine. Le jour mourait déjà et elle trouva la pièce plongée dans un clair-obscur. À l'autre bout du pré, Astrid avait allumé le lustre au-dessus de sa table.

Elles étaient convenues de descendre à la rivière dans l'après-midi, puis de pousser jusqu'à l'église. À la Toussaint, même les sépultures laissées à l'abandon tout au long de l'année pouvaient espérer de la visite et un cierge. Veronika se rappelait s'être rendue sur la tombe de ses grands-parents un jour de Toussaint de son enfance. Un jour en tous points semblable à celui derrière sa fenêtre : calme, froid, enveloppé d'un léger brouillard. Le grand cimetière de Stockholm tremblotait dans la lueur d'un millier de bougies. Elle avait flâné dans ce paysage magique, heureuse de garder sa main nichée dans celle de son père, sans trop savoir si l'exaltation qu'elle éprouvait face à ce spectacle était bien convenable.

Il n'était qu'un peu plus de quatorze heures lorsque Veronika traversa le pré jusque chez Astrid, mais le crépuscule tombait déjà. Elle frappa à la porte, et la vieille femme répondit sans tarder, déjà tout habillée, sa veste sur le dos. Elle enfonça son bonnet de laine sur sa tête et enfila ses moufles en descendant les marches du perron. Il n'avait pas neigé depuis plusieurs jours et, sur le sol, le tapis blanc fatigué laissait entrevoir les graviers de l'allée. Astrid s'empara du bras de Veronika et elles se dirigèrent vers le pied de la colline dans un agréable silence.

L'air était froid sur leur visage, mais toutes deux portaient des vêtements adaptés au temps : une lourde veste en peau de mouton pour Astrid ; une doudoune à capuche pour Veronika. Il n'y avait pas de vent et elles prirent leur temps, marchant d'un pas plus tranquille que lors de leurs habituelles promenades matinales. Une fine couche de givre enrobait les arbres dépouillés et un léger manteau de neige recouvrait les champs.

— Il faisait ce temps-là le jour où je suis arrivée, remarqua Veronika. Mais il y a une différence radicale entre mars et novembre.

Elle observa le village en contrebas. Seules quelques traînées de fumée, qui s'échappaient des cheminées pour se mêler au brouillard, témoignaient de la présence de vie.

— En mars, on sait que, si l'on tient bon, on finira par voir la lumière. En novembre, il faut avoir la force d'accueillir l'obscurité. Les greniers doivent être pleins, la récolte engrangée.

Astrid demeura silencieuse. Leurs foulées prirent naturellement le même rythme.

— Il paraît que mars est le mois le plus difficile, continua Veronika. Il y a, en mars, un pic de mortalité. Et j'ai lu que les enfants de novembre sont les plus résistants, parce que leur mère a été fortifiée par l'été. On associe le printemps au retour de la vie alors que souvent il apporte la mort.

Elle se tut un moment. Quand elle reprit la parole, elle s'arrêta pour se tourner vers Astrid.

— Pour moi, mars a été le mois le plus difficile. Je crois que le printemps n'est pas pour les faibles. Mais, après cet été, je suis prête. Je suis forte.

Astrid demeura silencieuse mais, lorsqu'elles se remirent en route, son bras serrait fort celui de Veronika.

Elles empruntèrent le même itinéraire que lors de leur première promenade. Après avoir laissé derrière elles la courte bande forestière et rejoint les champs ouverts, elles s'arrêtèrent devant le petit groupe de constructions neuves. Sous le ciel terne, elles offraient un spectacle encore plus désolé. Dans les champs alentour, arides et exposés aux intempéries, la glaise sombre ne portait plus aucune trace de neige. Aucun arbre, aucune végétation ne venait égayer ces habitations. Il semblait à Veronika qu'elles s'arc-boutaient les unes contre les autres avec un désespoir encore plus profond.

— J'ai pensé à ces maisons, observa Astrid. Et ça m'a beaucoup donné à réfléchir.

Elles reprirent leur promenade tandis que la vieille femme continuait.

— Notamment à la façon dont nous choisissons de vivre. Regardez donc le village et ses vieilles bâtisses. Ses maisons sont toutes rassemblées aussi, j'imagine que c'est là même la définition d'un village.

Elles portèrent toutes les deux le regard sur les étendues de terre du côté de l'église.

— Mais elles ne s'accrochent pas les unes aux autres comme ces nouvelles constructions, objecta Veronika. Elles semblent s'être développées naturellement, avec le temps. Elles ne forment pas un groupe, ce sont des maisons individuelles, séparées.

Elles suivirent la route en direction de la rivière.

— Les gens qui vivent ici, dans ces maisons neuves..., reprit Astrid. Je crois que ce sont des personnes âgées. Et je ne crois pas qu'elles soient désespérées du tout. Ni effrayées, d'ailleurs.

Elle marqua une pause, avant de remarquer :

— Je crois savoir ce que ces vieillards recherchent.

Elle renversa sa tête vers le ciel, où le brouillard voilait la lumière blafarde du soleil couchant.

— Je crois qu'ils sont venus ici pour être ensemble. Qu'ils ont pris conscience qu'ils avaient besoin des autres, et qu'ils ont agi en conséquence, avant qu'il soit trop tard. J'espère ne pas me tromper. Je trouve que c'est dans l'ordre des choses que les vieillards habitent les logements neufs et que les jeunes s'installent dans les anciens.

Sa main tapota celle de Veronika.

— Je veux croire que ces maisons se blottissent les unes contre les autres non pas pour se protéger, mais pour s'enlacer. Et je trouve ça bien.

La rivière s'écoulait lentement, comme si le gel s'en emparait peu à peu. Elles marchèrent jusqu'à la berge et, debout sur la neige, contemplèrent la masse sombre ondoyante. Seule l'eau sous-jacente semblait animée de mouvement sous la surface immobile.

— Nous faisions parfois du patin à glace ici, dit Astrid. Mais jamais avant janvier, lorsque la glace était solide. Ce n'était pas possible tous les ans. Certaines années, le gel ne prenait jamais bien.

Elle inhala une grande bouffée d'air et leva les yeux vers le ciel.

— Nous ne sommes qu'en novembre, nous ne savons pas encore ce que nous réserve l'hiver.

Sur la route tranquille qui longeait la rivière jusqu'à l'église, elles ne croisèrent aucune voiture, n'entendirent aucun bruit. Lorsqu'elles arrivèrent au cimetière, Veronika constata avec surprise qu'elle s'était trompée : très peu de sépultures étaient illuminées et, en dehors d'une vieille dame qui allumait une bougie sur une tombe au fond, il n'y avait pas âme qui vive.

Elles s'arrêtèrent devant la pierre tombale de la famille Mattson. Astrid extirpa quatre petites bougies de la poche de sa veste et se baissa pour les déposer sur la neige. Il lui fallut un certain temps pour les allumer. Quand, à force de frottements, la première allumette daigna prendre, la flamme tremblota et s'éteignit aussitôt, l'obligeant à en gratter une autre. Un peu en retrait, Veronika laissa la vieille femme exécuter le rituel.

Lorsque Astrid se releva enfin, légèrement essoufflée, quatre flammes scintillaient sur la neige.

— Il y a eu de l'amour. Je crois qu'il y a forcément eu de l'amour. C'est quand on se convainc qu'il n'y en a plus qu'il se change parfois en son contraire. Il faut se rappeler que l'amour est en nous. Toujours.

Elle tâtonna dans sa poche, dont elle sortit un petit carré de tissu pour se moucher. Veronika ignorait si la vieille femme pleurait ou si c'était le froid qui lui mettait les larmes aux yeux.

Elles bifurquèrent ensuite pour se diriger vers le mur de pierre. Astrid produisit une autre bougie et s'agenouilla avec Veronika devant la sépulture. Ensemble, elles balayèrent de leurs moufles la fine couche de neige qui masquait la petite plaque.

— Vous savez, Veronika, j'avais peur de venir ici, à une époque. Mais j'ai enfin compris que c'était moi seule que je craignais.

Elle retira ses moufles pour déposer la petite bougie sur la plaque et l'allumer, laissant un moment ses mains autour de la flamme.

— Maintenant, je n'ai plus peur, conclut-elle avant de renfiler ses moufles.

Elles rebroussèrent chemin. Malgré l'heure peu tardive, la lumière diminuait rapidement.

— Venez à la maison quand vous serez prête, dit Astrid en poussant son portail. Je vous attends.

Veronika déambula de pièce en pièce. Déjà la maison semblait se dérober, distante et silencieuse. Elle avait tout nettoyé de fond en comble, tout remis à sa place d'origine, et soudain cette maison n'était plus la sienne. Le lien entre elles était rompu. Toutes les deux attendaient déjà la suite. Elle n'avait pas allumé la lumière et, quand elle s'approcha de la fenêtre de la cuisine, elle discerna, à travers la nuit, les éclairages chauds de la cuisine d'Astrid. Elle regarda longuement la vieille femme aller et venir dans la clarté, poupée dans une maison de poupée.

Il neigeait lorsqu'elle se présenta à la porte de sa voisine. Des flocons secs et légers flottaient çà et là au-dessus de sa tête, se dissipant avant d'atteindre le sol. Dans la cuisine, la table était une fois de plus dressée pour deux avec le service de porcelaine fine.

— Il y a des règles à respecter pour ce dîner, annonça la vieille femme en conduisant Veronika à l'intérieur. Pas d'adieux. C'est juste un dîner comme les autres.

Elle s'approcha du poêle et se pencha pour ramasser un morceau de bois de chauffage.

— Il n'y a d'ailleurs pas plus ordinaire comme menu. Ce sont des crêpes.

Avec un sourire, elle tourna le dos à Veronika pour déposer le bois dans le feu.

— Et, demain, faites-moi juste un signe de la main en passant, ajouta-t-elle sans lever la tête. Ne vous arrêtez pas.

— Entendu, accepta Veronika, ses yeux sur le dos de la vieille femme. Ce sera juste un dîner comme les autres. Même si je ne risque plus de trouver les crêpes ordinaires.

Tandis qu'Astrid versait de la pâte dans la poêle, Veronika leur servit à chacune un verre de vin rouge. Elle pensait déposer celui d'Astrid près de la cuisinière, mais la vieille femme alla directement le cueillir dans sa main.

— À vous, Veronika. *Lycklig resa!* Bon voyage!

Astrid rougit et son visage se froissa en une grimace.

— Écoutez-moi donc, je commence déjà avec les adieux.

Elle posa son verre et, s'approchant de Veronika, ouvrit grands les bras.

— Dans ce cas, autant les faire en bonne et due forme, dit-elle en enlaçant la jeune femme.

Elle la serra longuement contre elle avant de relâcher son étreinte et de retourner devant sa cuisinière d'un mouvement brusque.

Après le repas, elles restèrent assises, à écouter de la musique. Astrid ne mit le disque de Brahms qu'une seule fois.

— Une fois suffit pour un dîner comme les autres. Écoutons autre chose maintenant, dit-elle en insérant l'un des CD de Veronika.

Elle avait éteint le lustre et l'obscurité enveloppait la table et leurs visages, éclairés par la seule lueur des bougies.

— Je vais vous aider à débarrasser, déclara Veronika.

La vieille femme l'arrêta d'un geste de la main et secoua la tête.

— J'ai tout le temps de débarrasser.

Se reprenant, elle grimaça de nouveau.

— C'est trop dur, Veronika. Je crois que je vais devoir vous demander de partir.

Elle adressa un regard profond à la jeune femme, qui acquiesça lentement de la tête.

— Promettez-moi que vous serez là, demain, juste derrière votre fenêtre, lui demanda celle-ci. Promettez-moi que vous me ferez signe, vous aussi.

Astrid esquissa un mince sourire avant de hocher la tête.

— C'est promis.

Veronika se leva et, après avoir repoussé sa chaise, fit le tour de la table. Les mains sur les joues de la vieille femme, elle lui dégagea les cheveux du visage et les coinça derrière ses oreilles. Puis elle posa ses lèvres sur son front pour l'embrasser. Elle tourna ensuite les talons et traversa la pièce sans se retourner, refermant la porte sans bruit derrière elle.

Elle descendit à pas lents l'allée jusqu'au portail et remonta le chemin. Légère, la neige fraîchement tombée se soulevait à chacune de ses foulées. Au moment d'entrer dans son jardin, elle se retourna vers l'autre maison. La cuisine était plongée dans le noir. Elle leva le bras et agita la main. Rien ne lui assurait que son salut avait reçu une réponse, mais elle se plut à le croire.

Lorsque Veronika referma la porte derrière elle, Astrid souffla les bougies et demeura assise dans l'obscurité. Un sourire éclairait son visage strié de larmes. Par la fenêtre, elle vit la silhouette de Veronika se découper sur la neige fraîche, puis se retourner pour lui faire signe. Alors elle leva la main à son tour.

# 35

*… quand point le jour.*

La route courait le long d'une étendue sablonneuse qui formait une jetée naturelle dans l'eau. Sur les berges jonchées de mousse blanche, des pins étiraient leur long tronc droit vers un ciel pâle.

C'était le mois de mars, comme la première fois, à la différence que le soir était clair et doux, et que le soleil flânait au-dessus de la cime des arbres dans une lumière tamisée, se reflétant sur la surface sombre du lac. Le printemps était en avance : la glace avait libéré les eaux et, bien que les champs de chaque côté de la route fussent encore semés de neige, la chaussée se déroulait en un ruban sinueux et sec vers le lointain.

La route était déserte, elle n'avait pas croisé de voiture depuis Ludvika. Confortable et impersonnelle, la Volvo de location avait cette odeur artificielle de véhicule neuf que le contact avec les corps humains n'a pas encore vicié. Réglée sur une station locale, la radio diffusait le journal du soir et le bulletin météo. Veronika écoutait les sons plus que leur sens, le rythme de la langue, à la fois familière et étrangère, comme si elle n'était plus totalement sienne. Elle n'avait pas prévu de partir aussi tard, mais elle prenait plaisir à rouler dans la tombée du soir et se réjouissait de passer la nuit sur place. Elle s'arrêterait dans le village voisin pour prendre les clés chez l'administrateur.

Juste avant de quitter la forêt et de s'engager sur le pont, elle aperçut deux élans parfaitement immobiles dans une petite clairière. Le soleil s'était évanoui derrière les arbres, réduisant les animaux à deux silhouettes noires sur les plaques de neige et l'herbe blême de l'an passé. Elle ralentit. Lorsqu'elle franchit la rivière, le grondement assourdi des flots enfla sous ses roues. À sa droite, l'eau faisait des remous dans un ralenti trompeur.

On lui avait suffisamment bien décrit la maison pour qu'elle la trouve sans difficulté. La construction de briques moderne se dressait au milieu de bâtisses de bois plus anciennes, peintes dans le rouille traditionnel. Les cheminées crachaient des colonnes cendrées dans l'air immobile. Rien ne troublait le silence jusqu'à ce que, la repérant, un vieux golden retriever posté près du perron lâche des aboiements peu convaincants. Elle remonta l'allée jusqu'à la porte d'entrée dans la fraîcheur du soir approchant. Les champs alentour attendaient le hersage, noirs et nus.

Elle appuya sur la sonnette, perturbant à contrecœur la paix du samedi soir. La rumeur étouffée d'une télévision lui parvenait à travers la porte et des lueurs dansaient derrière les fenêtres d'autres maisons.

La femme qui lui ouvrit l'accueillit chaleureusement, l'invitant d'un signe à entrer dans le vestibule. Veronika découvrit un intérieur lourdement meublé, chaud et douillet, où flottaient encore des odeurs de dîner.

— Vous devez être Veronika Bergman, dit la femme en lui offrant une poignée de main.

Courtaude, elle portait un survêtement bleu marine et de grosses pantoufles en peau de mouton. Après que Veronika eut refusé le café qu'elle lui proposait, elle appela son mari, qui fit immédiatement son entrée par une porte au bout du couloir, comme s'il attendait le signal. C'était un homme imposant, grand et fort, avec un visage avenant et ouvert.

À l'instar de son épouse, il portait une tenue de jogging, dont le pantalon moulait ses cuisses musclées et dont la veste se tendait sur ses épaules. Ses manches étaient roulées au-dessus de ses poignets. Il salua Veronika avec une poignée de main énergique à la paume rêche et calleuse. Il enfonça ensuite ses poings dans les poches de son survêtement et s'éclaircit la gorge.

— J'ai tout fait conformément aux instructions, déclara-t-il. Normalement, vous trouverez tout en bon état. Une chance que le temps soit doux, vous ne devriez pas avoir de problème avec l'eau.

Il marqua une pause, comme s'il cherchait quelque chose à ajouter.

— C'est triste, la façon dont elle est partie, la petite dame. Mais enfin, c'était son choix, j'imagine.

Il se frotta le menton avec la main, puis se racla encore la gorge.

— Un instant, je vais vous chercher les clés.

Il disparut dans une pièce sur la gauche, dont il revint peu après avec une grande enveloppe marron. Après la lui avoir remise, il croisa les bras.

— Vous trouverez là-dedans des papiers pour vous, au sujet des biens. Jetez-y un coup d'œil quand vous aurez un moment et faites-moi signe si vous avez la moindre question.

Il lui tendit la main pour prendre congé.

— Ah, j'allais oublier : il y a aussi une lettre de Mme Matt-son à l'intérieur. J'avais pour consigne de vous la remettre avec les clés.

Il relâcha la main de Veronika et, après avoir replacé la sienne dans sa poche, se balança d'avant en arrière sur ses pieds, les yeux baissés.

— Bonne chance, alors, finit-il par dire, laconique.

Sa femme le rejoignit sur le seuil et tous les deux saluèrent Veronika de la main tandis qu'elle descendait les marches en les remerciant. En entendant la porte se refermer derrière elle, elle devina qu'ils n'étaient pas fâchés de reprendre leur samedi soir là où ils l'avaient laissé. À dire vrai, elle aussi se sentait soulagée.

Le portail franchi, elle s'immobilisa pour ouvrir l'enveloppe et en sortir les clés, qu'elle soupesa dans sa main. Il y en avait deux, pendues à un simple anneau : un modèle ancien, lourd et noirci, et un moderne, brillant et breveté. Elle les fourra dans sa poche et remonta en voiture.

Elle entama alors le court trajet qui devait la mener à la maison. Sa maison.

Mais, avant, il lui restait une dernière visite à rendre.

Le crépuscule tomba sur le chemin. Le long de la route, des carrés jaune vif de lumière indiquaient çà et là la présence d'une ferme, elle ne croisa toutefois que deux ou trois voitures. Elle freina dans le virage juste avant que l'église luthérienne apparaisse. Elle bifurqua alors sur la gauche, quittant la grand-route pour se garer devant la masse blanche de l'édifice. Elle prit une profonde inspiration. L'air, plus frais, était piqué d'une note de bois brûlé. Seul le ronronnement lointain d'un moteur troublait de temps à autre la quiétude ambiante. Elle longea la façade ouest de l'édifice pour entrer dans le cimetière. Il ferait bientôt nuit noire, mais la neige qui avait subsisté à l'ombre des murs, presque phosphorescente, émettait une lueur pâle qui permit à sa vue de s'ajuster rapidement.

Peu de sépultures étaient bien entretenues, juste une ou deux portaient des traces de visite récente et une seule était neuve.

— Quand je partirai de cette maison, ce sera pour le cimetière, lui avait un jour confié Astrid alors qu'elles passaient devant l'église. J'ai choisi ma concession, elle est déjà payée. Je devais être sûre d'avoir mon endroit à moi, vous comprenez.

L'endroit d'Astrid se trouvait là, juste sous ses yeux. Ce n'était pas même une véritable pierre, rien qu'une petite plaque de granit posée à plat sur le sol. N'y figurait que son nom, suivi d'une inscription :

Des chansons douces je te chanterai.

Juste à côté était couchée une autre plaque, de taille et de couleur identiques, quoique défraîchie. On arrivait tout juste à y lire le prénom « Sara » sous la mousse et le lichen.

Veronika fouilla dans sa poche pour en sortir deux morceaux de néphrite de Nouvelle-Zélande. Elle les garda dans sa paume, refermant ses doigts sur leur masse lisse et chaude. Puis elle en déposa une sur chacune des plaques. Accroupie, elle traça du bout du doigt les mots de la ligne unique gravée dans le granit neuf :

Des chansons douces je te chanterai.

Elle s'attarda devant la plaque et, finissant par tomber à genoux par terre, caressa de la main la surface froide de la pierre.

L'aboiement distant d'un chien la ramena soudain à la conscience. Alors elle se releva lentement et regagna la voiture.

Elle passa devant le magasin, fermé à cette heure, dont les panneaux détériorés vantaient des promotions dans le vide. Puis, après avoir négocié le dernier virage en épingle, elle quitta la grand-route pour grimper le raidillon. Aucune lumière ne filtrait des maisons le long de la chaussée. Au sommet de la colline, elle bifurqua à gauche, sur le chemin de terre, dépassant la barrière garnie d'une rangée de boîtes aux lettres. Derrière, les petits cabanons de bois n'étaient plus que des ombres.

Elle s'arrêta devant le portail et descendit de voiture. Tout était silencieux, hormis le ronflement du moteur en train de refroidir. L'air sentait les feuilles mortes et la terre humide sur le point de geler encore une nuit. Elle s'immobilisa un instant pour observer la maison muette face à elle, puis ouvrit le portail et remonta l'allée. Les graviers givrés formaient une masse solide, dure et sèche sous ses pieds. Les clés rebondirent contre sa cuisse quand elle gravit les marches du perron et, lorsqu'elle les extirpa de sa poche, elle sentit leur chaleur entre ses doigts. Elle inséra la plus ancienne dans la serrure du haut, mais celle-ci refusa de tourner. Il lui fallut pousser la porte avec l'épaule tout en levant la poignée pour que le verrou cède à contrecœur. La serrure du bas, elle, s'ouvrit du premier coup et sans un bruit sous l'action de la clé brevetée.

Elle s'attendait à trouver une atmosphère confinée et froide dans le vestibule sombre, mais elle pénétra dans une chaude pénombre, sans odeur, sèche et rassurante. On aurait dit que la maison l'attendait. Nettoyée, aérée et chauffée, elle se tenait prête à la recevoir. Elle tâtonna de la main pour allumer la lumière, puis, se ravisant, continua dans l'obscurité. Elle suivit le couloir à pas lents, les mains tendues devant elle comme une somnambule. Lorsqu'elle entra dans la cuisine, la lueur pâle de la fenêtre lui permit de se repérer. S'approchant des carreaux, elle contempla l'herbe aplatie, couverte d'une pellicule fine et irrégulière de neige gelée. Elle posa ses paumes sur la vitre, y appuya son front.

Son ancienne maison demeurait silencieuse à l'autre bout du pré, ses fenêtres noires la fixant sans la reconnaître. Une balançoire se dressait sur la pelouse de devant, la haie le long du chemin était taillée. Ce n'était plus une maison orpheline.

Elle s'assit à la table de la cuisine et posa l'enveloppe devant elle. Après en avoir sorti les documents, elle la souleva pour la retourner. Sur la nappe tomba un épais pli de papier jauni, dont la colle était si desséchée qu'une bande de ruban adhésif avait été ajoutée pour maintenir le rabat en place.

Son nom y était inscrit dans l'écriture familière d'Astrid, élégante quoique légèrement hésitante.

À ma Veronika bien-aimée.

Ses mains lissèrent le papier, détectant en dessous une petite bosse. Comme elle secouait doucement l'enveloppe, un objet en tomba, atterrissant sur la table avec un bruit mat. Le pendentif en or d'Astrid. Quand elle le ramassa, la fine chaîne glissa entre ses doigts. C'était un petit médaillon ovale, avec une étoile gravée dessus. Enroulant la chaîne autour de ses doigts, elle referma sa main sur le pendentif et posa ses deux poings sur l'enveloppe. Puis elle regarda par la fenêtre.

À tâtons, ses mains cherchèrent, sur le bord de la table, les poignées du tiroir à couverts dans lequel Astrid rangeait ses bougies. Elle alla ensuite prendre le chandelier qui trônait sur le manteau du poêle et la boîte d'allumettes qui attendait sur le tas de bois de chauffage, dans le panier posé par terre. Puis elle se plongea dans la lecture de la lettre à la lueur d'une bougie.

# 36

*Que souffle un bon vent.*
*Que tombent des flocons blancs.*

## Västra Sångeby, janvier 2004

Ma très chère Veronika,

Vous voici attablée dans la cuisine. Nous sommes en mars,
par une nuit semblable à celle lors de laquelle vous êtes arrivée pour la première fois. Vous avez allumé une chandelle
et je vois vos mains, sur la table, tenant cette feuille. Votre
visage est frais, vos épaules sont détendues. Vos cheveux
tombent en boucles abondantes, mais je crois que, sans vous
en apercevoir, vous les dégagez de votre visage pour les rassembler sur votre nuque.

Bien entendu, je peux me tromper complètement. Ces
mots ne seront peut-être jamais lus, ou ils vous parviendront
peut-être à l'autre bout du monde. Mais, si tout se passe
comme prévu, vous serez ici, dans la cuisine où tout a commencé. Il y a des chandelles dans le tiroir sous la table, et
des allumettes sur le tas de bois près du poêle. Vous devriez
avoir trouvé la maison en ordre, quoique réduite au strict
nécessaire. Je ne tiens pas à ce qu'elle devienne une charge
indésirable, une contrainte. Je ne souhaite surtout pas en
faire un cadeau empoisonné.

Ce soir de mars, je me trouvais à l'endroit précis où je vous imagine : à la fenêtre. Ce premier soir, je le conçois maintenant comme le premier rayon de soleil printanier sur la surface d'un lac gelé. J'ai l'impression que la glace fond par le dessous, d'une certaine manière. La source de chaleur se trouve au-dessus, mais ce n'est que lorsque les profondeurs se sont réchauffées que la glace finit par céder. Elle devient poreuse, l'eau s'y infiltre, elle perd prise sur les rives. Vous regarder arriver a été la première lueur de clarté après une très longue obscurité. J'ai observé votre mince silhouette dans le puits de lumière creusé par les phares de votre voiture jusqu'à ce que vous ayez terminé de décharger. Je suis restée bien après que vous avez fermé la porte, j'ai regardé les lumières s'éteindre, les unes après les autres. Et je crois que j'ai su que la vie était revenue.

Vous m'avez mieux connue que quiconque, et j'aime à croire que je vous ai connue un peu. Longtemps j'ai trouvé un certain réconfort dans le fait de n'avoir rien ni personne. Mais j'ai fini par comprendre que ce n'est pas une vie. Je ne regrette pas que cette révélation me soit venue sur le tard, je suis heureuse qu'elle me soit venue tout court. Certains voient sans doute dans mon existence une tragédie, un vaste gâchis, mais pas moi. Vous m'avez donné une nouvelle perspective. Vous m'avez ramenée dans la lumière éclatante de la vie, vous m'avez ouvert les yeux. Vous avez fait fondre la glace. Et je vous en suis très reconnaissante, Veronika.

L'amour nous vient sans prévenir et, une fois qu'il nous est donné, on ne peut plus jamais nous l'enlever. Il ne faut pas l'oublier. L'amour ne se perd pas. Il ne se mesure pas. Il ne se compte pas en années, en minutes ou en secondes, ni en kilos ou en grammes. Il ne peut être quantifié en aucune façon, pas plus qu'il ne peut être comparé à un autre. L'amour est, tout simplement. Il suffit d'un seul effleurement de l'amour véritable, si fugace soit-il, pour qu'il vous dure toute une vie. Il ne faut jamais l'oublier.

Ne me pleurez pas, Veronika. Vous rappelez-vous ce que je vous ai dit ? Qu'il est bien triste de perdre le souvenir des visages de ceux que nous aimons? Je crois à présent que nous ne le perdons jamais. Nous nous imaginons les avoir oubliés alors qu'ils sont devenus une partie si intégrante de nous-mêmes qu'ils ne se prêtent plus à l'exploration objective. J'aimerais que vous vous souveniez de moi de cette façon, que vous sachiez que je serai toujours avec vous, même si vous n'arrivez plus à voir mon visage.

Ma très chère Veronika, cette maison n'est assortie d'aucune tâche, d'aucun devoir. Vous êtes libre d'en faire ce que vous voudrez : la donner, l'abandonner, la vendre. Mais j'espère que vous choisirez de la garder. Cette maison a besoin d'amour et de bonheur, elle le mérite. Je ne sais pas pourquoi, mais je crois que son tour est venu. Qu'elle trouve tout cela avec vous, comme je l'espère, ou avec quelqu'un d'autre importe peu, finalement. Je me plais à imaginer que des enfants courront dans son escalier et qu'elle se remplira à Noël, au jour de l'an et à la Saint-Jean. Je me figure des jours d'été tranquilles, peuplés d'enfants en train de jouer dans le jardin ou de cueillir des fraises sauvages.

Mais, à dire vrai, ce n'est pas tant à la maison qu'à vous que je pense. C'est la deuxième fois de ma vie que je me sépare d'une personne que j'aime de mon propre chef. Mais c'est tellement différent de la première fois. Cette séparation-là n'est pas triste, pas dans le sens courant du terme. J'aurais dû partir depuis longtemps déjà. Et j'aime à croire que vous êtes prête à regarder la vie en face.

Vivez, Veronika! Prenez des risques! C'est là tout le sens de la vie. Nous devons chacun chercher notre bonheur. Personne n'a jamais vécu notre vie, il n'y a pas de règle. Fiez-vous à votre instinct. N'acceptez que le meilleur, mais surtout cherchez-le bien, ne le laissez pas vous filer entre les mains. Les bonnes choses passent parfois inaperçues. Rien ne nous arrive tout entier. C'est ce que nous faisons de ce que nous trouvons en chemin qui détermine l'issue. Ce que nous choisissons de voir, ce que nous choisissons de conserver. Et ce que nous choisissons de garder en mémoire.

N'oubliez jamais que tout l'amour de votre vie est là, en vous, et qu'il le restera toujours. Jamais on ne pourra vous le prendre.

J'aimerais que vous pensiez à moi avec le sourire. Souvenez-vous, il y a eu de l'amour. J'ai simplement laissé la haine se mettre en travers des souvenirs. Je crois que ma vie s'achève en quelque sorte en triomphe. J'ai retrouvé l'amour de ma vie.

Ma très chère Veronika, c'est grâce à vous. Vous êtes arrivée par cette nuit de mars et vous avez radicalement changé ma vie. Jamais je ne pourrai vous exprimer toute ma reconnaissance. Cette maison n'est qu'un gage bien dérisoire, et peut-être contraignant, de ma gratitude la plus sincère.

Au moment où je vous écris, j'écoute Brahms sur la platine de CD que vous m'avez donnée : la sonate pour violon et piano que ma mère écoutait si souvent. Voici une autre chose que vous m'avez rendue : la musique. Avant, il y avait le silence, un si long silence. Et puis vous êtes entrée dans ma vie et vous y avez réintroduit la musique. C'était déchirant, mais ô combien merveilleux. Pour moi, il n'y a pas de musique plus belle que cette sonate. J'écoute le deuxième mouvement et même si je dois reconnaître que des larmes me brouillent la vue, ce ne sont pas des larmes de tristesse. Ces larmes-là sont réconfortantes, et tièdes sur mes joues. Par la fenêtre, je vois que le temps est clair en ce début d'après-midi. Une chaude lumière oblique tombe sur la neige. Tout est calme. De la fumée monte des cheminées du village, en contrebas, comme des lignes de crayon estompées sur le ciel d'un bleu profond que le soir approchant épaissit à chaque minute. Cela aussi, c'est un cadeau de vous : l'aptitude à s'imprégner de la vue, à voir la beauté. Or c'est tellement beau.

Je suis heureuse, Veronika ! Tellement heureuse ! Et tellement, tellement reconnaissante !

J'aimerais que vous preniez le temps de faire plus ample connaissance avec la maison. Pour une raison ou pour une autre, je crois que vous pourrez lui apporter ce que vous m'avez apporté : la vie. Je crois aussi qu'elle pourra peut-être vous donner ce que vous semblez chercher : un chez-vous. Que vous décidiez d'en faire votre chez-vous ou juste un havre de paix où vous réfugier de temps en temps, elle vous donnera un endroit à appeler « la maison ». Un lieu d'où partir et où revenir. Quelle que soit votre décision, Veronika, vous devez la prendre pour vous seule. Ni pour moi, ni pour personne d'autre.

Vous souvenez-vous de ce jour au lac où je vous ai lu un poème de Karin Boye ? Elle a écrit un autre poème que je trouve merveilleux. Il s'intitule « Matin ». En voici les derniers vers :

> ... car le jour tu es,
> et la lumière tu es,
> le soleil tu es,
> et la belle, si belle
> vie qui attend.

Maintenant, soufflez la bougie et allez vous coucher. Dormez bien, ma chère Veronika. Demain sera un nouveau jour.

Bien affectueusement,
Astrid

## 37

*... et la belle, si belle*
*vie qui attend.*

Veronika sourit en s'apercevant qu'elle avait rassemblé ses cheveux d'une main distraite pour les dégager de son visage, mais des larmes gouttaient de son menton sur la table.

— Astrid, j'ai terminé le livre, murmura-t-elle. J'espère qu'il vous plaira, parce que c'est le vôtre. Je suis arrivée ici avec un sac de douleur et un livre à écrire. Vous m'avez aidée à comprendre que cette douleur était aussi de l'amour, de la joie et du rire, un poids léger à porter à tout jamais. Ce livre est finalement très différent de celui que j'avais en tête, mais il est écrit, je l'ai apporté dans ma valise. J'aimerais tellement que vous soyez là, attablée face à moi, votre tasse de café entre les mains, prête à m'écouter vous en faire la lecture, à exprimer votre approbation par de petits hochements de tête. Mais je crois que vous savez, et je crois que vous approuvez.

Il y avait, dans votre histoire, un sentiment d'urgence. Le besoin d'achever ce qui avait débuté il y a très longtemps, de guérir une blessure qui vous avait tourmentée pendant de longues années. Alors, voici votre livre, Astrid. Je l'ai intitulé : *Des chansons douces je te chanterai*.

La bougie crépita, puis s'éteignit. Un noir d'encre tomba sur la cuisine, mais, alors que ses yeux s'habituaient à l'obscurité, le clair d'une lune presque pleine brilla sur la neige du jardin et une lumière blafarde se réverbéra dans la pièce.

C'était l'heure d'aller se coucher.

Bonne nuit – un bon somme je vous souhaite,
compagnons vagabonds.
Notre chant se tait, nos routes se séparent – eh quoi
si nos chemins ne se croisaient plus jamais.
Je vous ai entretenus un peu, et mal, de ce
qui brûle en moi et s'éteindra sous peu,
mais l'amour qu'il y avait là, nulle altération ne connaît –
bonne nuit – bon somme à vous.

Dan Andersson, « Epilog »
in *Efterlämnade dikter*, 1920.

# Note de l'auteur

*Astrid et Veronika* est le résultat concret de mon admission au sein du Master inaugural « Écrire le roman » de l'université d'Auckland. Sans ce programme, ce livre n'aurait sans doute jamais pris la forme de projet. Et sans les critiques constructives, les encouragements constants et les conseils professionnels de mes deux directeurs d'études, Witi Ihimaera et Stephanie Johnson, le projet n'aurait jamais abouti. Je leur suis profondément reconnaissante de leur aide.

J'ai écrit dans mon bureau, qui donne sur Auckland, où les spectaculaires changements de lumière représentent une menace de distraction permanente. L'écriture m'a pourtant emmenée à l'autre bout du monde, aussi loin que je puisse aller sans rebrousser chemin. Jamais mon pays natal n'avait été plus présent à mon esprit, pourtant ce livre n'aurait pu être écrit nulle part ailleurs qu'ici, en Nouvelle-Zélande. Cette distance était indispensable.

Nombreux sont ceux qui m'ont soutenue et encouragée dans mon projet : directeurs d'études, confrères écrivains et amis. Je vous remercie tous, en particulier Linda Grey-Hugues, qui m'a mise sur la voie et m'a convaincue que j'étais à la hauteur de l'entreprise. Je souhaite également exprimer ma gratitude sincère à mon éditrice, Rachel Scott, qui a lu mon manuscrit avec toutes les qualités d'un bon éditeur : l'intérêt, la sensibilité, la minutie, la patience, le respect... et une bonne dose d'humour. Ce livre est aussi le sien. J'envoie une pensée toute particulière à mon amie et consœur Lisa M. Skoog de Lamas, à qui je souhaite un rétablissement total et un retour rapide à l'écriture. Son œil critique et son entière franchise m'ont beaucoup fait défaut lors de l'écriture de ce livre.

Enfin, j'exprime tout mon amour à mon mari, Frank, qui m'a donné l'espace et le temps.

Linda Olsson

# Références des citations

Je remercie les personnes et organisations suivantes de m'avoir autorisée à citer des extraits de poèmes et de chansons. J'ai été profondément émue par la générosité, la confiance et la bonté qui m'ont été témoignées. Je souhaite tout particulièrement remercier Mats Boye, dont l'autorisation inconditionnelle d'utiliser de nombreux vers des œuvres de Karin Boye m'a permis de me mettre en quête des autres autorisations avec confiance.

Fleur Adcock ; Rolf Almer agissant au nom et pour le compte de la succession de Bo Bergman ; Monica Kempe agissant au nom et pour le compte de la succession d'Erik Blomberg ; Mats Boye pour les extraits des poèmes de Karin Boye ; Brita Edfelt pour les vers du poème « Demaskering » de Johannes Edfelt ; l'Administration av Litterära Rättigheter i Sverige (ALIS, Administration des droits littéraires de Suède) pour le droit de citer des vers du poème « Grekland » de Gunnar Ekelöf ; le professeur Erik Allardt pour les vers du poème « Ljust i mörkt » de Ragnar Ekelund ; Aina Enckell pour l'autorisation d'utiliser des vers du poème « Bäst bygges » de Rabbe Enckell ; Gösta Friberg ; Lars Grundström pour les vers du poème « Må – » de Helmer Grundström ; Susanna Gulin pour les vers du poème « Skuggan i rummet » d'Åke Gulin ; le Hjalmar Gullberg & Greta Thott Trust Fund pour l'autorisation d'utiliser des vers de deux poèmes de

255

Hjalmar Gullberg: « Lägg din hand i min om du har lust! » et « Människors möte »; Erland Hemmer et Marie Louise Hemmer pour l'autorisation d'utiliser un vers du poème de Jarl Hemmer « Stilla kväll »; Bengt Lagerkvist pour l'autorisation d'utiliser des vers des poèmes de Pär Lagerkvist « Vem spelar i natten? » et « Solig stig är full av under »; Ehrlingförlagen AB pour l'autorisation d'utiliser une ligne du texte de la chanson « Visa vid midsommartid » de Rune Lindström; la Finlands svenska författareförening (Société des auteurs suédois en Finlande) pour l'autorisation d'utiliser des vers du poème d'Arvid Mörne « Ensam under fästet » et du poème « Jag var ett speglande vatten » d'Emil Zilliacus; la Stiftelsen Övralid (Fondation Övralid) pour l'autorisation d'utiliser des vers du poème de Verner von Heidenstam « Månljuset »; Notfabriken Music Publishing AB pour le droit d'utiliser une ligne du texte de la chanson « Veronica », texte et musique de Cornelis Vreewijk, copyright © 1968 Multitone AB, de Warner/Chappell Music Scandinavia, imprimé avec l'autorisation de Notfabriken Music Publishing AB.

### Épigraphe
Bergman (Bo), « Sömnlös », dans *Äventyret*, 1969. Réimpr. dans *Bo Bergman : Dikter 1903-69,* éd. Almer (Vera) et Lindner (Sven), Stockholm, Albert Bonniers Förlag, 1986, p. 168.

### Chapitre 1
Vreeswijk (Cornelis), « Veronica », tiré de l'album *Tio vackra viso och personliga Persson,* Metronome MLP 15313, 1968.

### Chapitre 2
Zilliacus (Emil), « Jag var ett speglande vatten », dans *Vandring,* 1938. Réimpr. dans *Lyrikboken, a Swedish anthology,* éd. Nilsson (Tage) et Andreae (Daniel), 4e éd., Stockholm, Bokförlaget Forum AB, 1983, p. 765.

### Chapitre 3
Stagnelius (Erik Johan), « Vän i förödelsens stund », approx. 1818. Réimpr. dans *Lyrikboken, a Swedish anthology*, éd. Nilsson (Tage) et Andreae (Daniel), 4ᵉ éd., Stockholm, Bokförlaget Forum AB, 1983, p. 634.

### Chapitre 4
Gullberg (Hjalmar), « Lägg din hand i min om du har lust! », dans *Sonat*. Réimpr. dans *Hjalmar Gullberg dikter*, Stockholm, Månpocket, 1986, p. 76.

### Chapitre 5
Södergran (Edith), « Min framtid », dans *Landet som icke är*, 1925. Réimpr. dans *Edith Södergran samlade dikter*, Stockholm, Månpocket, 2002, p. 307.

Traduction française : Södergran (Edith), « Mon avenir », dans *Le pays qui n'est pas et Poèmes*, prés. Albertini (Lucie), trad. Albertini (Lucie) et Bjruström (Carl Gustaf), Paris, Orphée/La Différence, 1992, p. 139.

### Chapitre 6
Ekelöf (Gunnar), « Grekland », dans *Partitur*, 1969. Réimpr. dans *Lyrikboken, a Swedish anthology*, éd. Nilsson (Tage) et Andreae (Daniel), 4ᵉ éd., Stockholm, Bokförlaget Forum AB, 1983, p. 204.

### Chapitre 7
Mörne (Arvid), « Ensam under fästet », dans *Vandringen och vägen*, 1924. Réimpr. dans *Lyrikboken, a Swedish anthology*, éd. Nilsson (Tage) et Andreae (Daniel), 4ᵉ éd., Stockholm, Bokförlaget Forum AB, 1983, p. 59.

### Chapitre 8
Södergran (Edith), « Sorger », dans *Dikter*, 1916. Réimpr. dans *Edith Södergran samlade dikter*, Stockholm, Månpocket, 2002, p. 511.

Traduction française : Södergran (Edith), « Chagrins », dans *Le pays qui n'est pas et Poèmes*, prés. Albertini (Lucie), trad. Albertini (Lucie) et Bjruström (Carl Gustaf), Paris, Orphée/ La Différence, 1992, p. 89.

### Chapitre 9
Hemmer (Jarl), « Stilla kväll », dans *Väntan*, 1922. Réimpr. dans *Lyrikboken, a Swedish anthology*, éd. Nilsson (Tage) et Andreae (Daniel), 4e éd., Stockholm, Bokförlaget Forum AB, 1983, p. 347.

Karlfeldt (Erik Axel), « Jungfru Maria », dans *Fridolins lust-gård och dalmålningar på rim*. Réimpr. dans *Lyrikboken, a Swedish anthology*, éd. Nilsson (Tage) et Andreae (Daniel), 4e éd., Stockholm, Bokförlaget Forum AB, 1983, p. 379-80.

Anonyme, *Limu, limu, lima*, chanson folklorique suédoise.

### Chapitre 10
Södergran (Edith), « Triumfen att finnas till », dans *Sep-temberlyran*, 1918. Réimpr. dans *Lyrikboken, a Swedish anthology*, éd. Nilsson (Tage) et Andreae (Daniel), 4e éd., Stockholm : Bokförlaget Forum AB, 1983, p. 669-70.
Traduction française : Södergran (Edith), « Triomphe d'exister », dans *Poèmes complets*, trad. Boyer (Régis), Paris : JP Oswald, 1973.

### Chapitre 11
Bergman (Bo), « Hjärtat », dans *En människa*, 1908. Réimpr. dans *Lyrikboken, a Swedish anthology*, éd. Nilsson (Tage) et Andreae (Daniel), 4e éd., Stockholm, Bokförlaget Forum AB, 1983, p. 95.

### Chapitre 12
Ekelund (Ragnar), « Du är hos mig… », dans *Ljust i mörkt*, 1941. Réimpr. dans *Lyrikboken, a Swedish anthology*,

éd. Nilsson (Tage) et Andreae (Daniel), 4ᵉ éd., Stockholm, Bokförlaget Forum AB, 1983, p. 175.

## Chapitre 13
Blomberg (Erik), « Var inte rädd för mörkret », dans *Jorden*, 1920. Réimpr. dans *Lyrikboken, a Swedish anthology*, éd. Nilsson (Tage) et Andreae (Daniel), 4ᵉ éd., Stockholm, Bokförlaget Forum AB, 1983, p. 111.

## Chapitre 14
Andersson (Dan), « Hemlös », dans *Svarta ballader*, 1917. Réimpr. dans *Dan Andersson samlade dikter*, Stockholm, Wahlström & Widstrand, 1989.

## Chapitre 15
Edfelt (Johannes), « Demaskering », dans *Högmässa*, 1934. Réimpr. dans *Lyrikboken, a Swedish anthology*, éd. Nilsson (Tage) et Andreae (Daniel), 4ᵉ éd., Stockholm, Bokförlaget Forum AB, 1983, p. 163.

## Chapitre 16
Fröding (Gustaf), « Strövtåg i hembygden », dans *Stänk och flikar*, 1895. Réimpr. dans *Lyrikboken, a Swedish anthology*, éd. Nilsson (Tage) et Andreae (Daniel), 4ᵉ éd., Stockholm, Bokförlaget Forum AB, 1983, p. 264.

## Chapitre 17
Friberg (Gösta), « Ingen », dans *Växandet*, 1976. Réimpr. dans *Lyrikboken, a Swedish anthology*, éd. Nilsson (Tage) et Andreae (Daniel), 4ᵉ éd., Stockholm, Bokförlaget Forum AB, 1983, p. 256.

## Chapitre 18
Lagerkvist (Pär), « Vem spelar i natten? », dans *Kaos*, 1919. Réimpr. dans *Lyrikboken, a Swedish anthology*, éd. Nilsson (Tage) et Andreae (Daniel), 4ᵉ éd., Stockholm, Bokförlaget Forum AB, 1983, p. 256.

**Chapitre 19**

Runeberg (Johan Ludvig), « Minnet », dans *Dikter. Tredje häftet*, 1843. Réimpr. dans *Lyrikboken, a Swedish anthology*, éd. Nilsson (Tage) et Andreae (Daniel), 4ᵉ éd., Stockholm, Bokförlaget Forum AB, 1983, p. 552.

**Chapitre 20**

Boye (Karin), « Tillägnan », dans *Härdarna*, 1927, www. karinboye.se.

**Chapitre 21**

Lindström (Rune), « Visa vid midsommartid », Stockholm, AB Nordiska Musikförlaget, 1946.

**Chapitre 22**

Boye (Karin), « Morgon », dans *Moln*, 1922, www.karinboye.se.

**Chapitre 23**

Von Heidenstam (Verner), « Månljuset », dans *Nya dikter*, 1915. Réimpr. dans *Lyrikboken, a Swedish anthology*, éd. Nilsson (Tage) et Andreae (Daniel), 4ᵉ éd., Stockholm, Bokförlaget Forum AB, 1983, p. 340.

**Chapitre 24**

Boye (Karin), « Du är min renaste tröst », dans *Moln*, 1922, www.karinboye.se.

**Chapitre 25**

Gulin (Åke), « Skuggan i rummet », dans *Kattguld*, 1970. Réimpr. dans *Lyrikboken, a Swedish anthology*, éd. Nilsson (Tage) et Andreae (Daniel), 4ᵉ éd., Stockholm : Bokförlaget Forum AB, 1983, p. 291.

## Chapitre 26
Fleur Adcock, « Night-Piece ». Réimpr. dans *The Penguin book of New Zealand verse*, éd. Wedde (Ian) et McQueen (Harvey), Auckland, Penguin, 1985, p. 386.

## Chapitre 27
Andersson (Dan), « Den hemlöse » in *Efterlämnade dikter*, 1915, dans, *Dan Andersson samlade dikter*, Stockholm, Wahlström & Widstrand, 1989.

## Chapitre 28
Tribu maorie inconnue, « Mātai rore au », dans *The Penguin Book of New Zealand verse*, éd. Wedde (Ian) et McQueen (Harvey), Auckland, Penguin, 1985, p. 69.

## Chapitre 29
Enckell (Rabbe), « Bäst bygges », dans *Sett och återbördat*, 1950. Réimpr. dans *Lyrikboken, a Swedish anthology*, éd. Nilsson (Tage) et Andreae (Daniel), 4ᵉ éd., Stockholm, Bokförlaget Forum AB, 1983, p. 219.

## Chapitre 30
Lagerkvist (Pär), « Solig stig är full av under », dans *Genius*, 1937. Réimpr. dans *Lyrikboken, a Swedish anthology*, éd. Nilsson (Tage) et Andreae (Daniel), 4ᵉ éd., Stockholm, Bokförlaget Forum AB, 1983, p. 418.

## Chapitre 31
Minamoto no Shigeyuki, 960?-1000.

## Chapitre 32
Boye (Karin), « Stackars unge », dans *De sju dödssynderna*, 1941, www.karinboye.se.

**Chapitre 33**
Bergman (Bo), « Stjärnornas hjälp », dans *Kedjan*, 1966. Réimpr. dans *Bo Bergman : Dikter 1903-69*, éd. Almer (Vera) et Lindner (Sven), Stockholm, Albert Bonniers Förlag, 1986, p. 168.

**Chapitre 34**
Gullberg (Hjalmar), « Människors möte », dans *Att övervinna världen*, 1937. Réimpr. dans *Hjalmar Gullberg dikter*, Stockholm, Månpocket, 1986, p. 236.

**Chapitre 35**
Vreeswijk (Cornelis), « Veronica », tiré de l'album *Tio vackra viso och personliga Persson*, Metronome MLP 15313, 1968.

**Chapitre 36**
Grundström (Helmer), « Må – », dans *Prasslet i asparnas skog*, 1954. Réimpr. dans *Lyrikboken, a Swedish anthology*, éd. Nilsson (Tage) et Andreae (Daniel), 4e éd., Stockholm, Bokförlaget Forum AB, 1983, p. 290.

**Chapitre 37**
Boye (Karin), « Morgon », dans *Moln*, 1922, www.karinboye.se.

Andersson (Dan), « Epilog », dans *Efterlämnade dikter*, 1920. Réimpr. dans *Dan Andersson samlade dikter*, Stockholm, Wahlström & Widstrand, 1989.

CHEZ LE MÊME ÉDITEUR

Lori Lansens

# LES FILLES

« Je n'ai jamais regardé ma sœur dans les yeux. Je n'ai jamais pris mon bain toute seule. Je n'ai jamais tendu les bras vers une lune ensorceleuse, la nuit, les pieds dans l'herbe. On ne m'a jamais embrassée comme ça. Et pourtant j'ai été aimée, ô combien aimée… »

Tels sont les premiers mots du journal intime que Rose entreprend à vingt-neuf ans, sachant ses jours et ceux de Ruby comptés. Qu'elles aient atteint cet âge relève déjà du miracle.

Dans le comté de Baldoon, au Canada, Rose et Ruby mènent une vie hors du commun – elles sont siamoises – et tout ce qu'il y a de plus ordinaire, entourées de leurs parents adoptifs et de leurs nombreux amis. Ni monstres, ni merveilles, ni phénomènes de foire, elles sont les filles, tout simplement.

Au fil de réflexions graves et drôles, se dessinent deux destins unis par la fatalité, mais surtout par un amour inconditionnel, plus grand que soi. Lori Lansens nous révèle, à travers l'histoire singulière de Rose et de Ruby, une part d'humanité où chacun se reconnaîtra.

*Scénariste, **Lori Lansens** est née et a grandi à Chatham (Ontario) où se situe l'intrigue de ses romans. Elle a fait une entrée remarquée en littérature avec La Ballade des adieux (Belfond, 2004). Traduit dans vingt pays, coup de cœur du New York Times, Les Filles s'est vendu à plus de 500 000 exemplaires.*

« Avec grâce et subtilité, Lauri Lansens nous fait passer du rire aux larmes. Son histoire est touchante, son roman inoubliable. »
Isabel Allende

« Extraordinairement émouvant. »
*Vogue*

ISBN 978-2-8098-0252-8 / H 50-6886-1 / 374 pages / 22 €

Lori Lansens

# UN SI JOLI VISAGE

En raison de son obésité, Mary se complaît jour après jour dans une solitude mortifère. Consumée par un quotidien qui se résume à des allers-retours entre son lit et le frigidaire, Mary, ne vit que pour et par Jimmy, son mari. Or, un soir, à la veille de leurs noces d'argent, celui-ci ne rentre pas.

Résolue à retrouver son mari fugueur, Mary s'envole pour Los Angeles. Un périple sous le soleil de Californie qui devient, contre toute attente, un voyage initiatique où la personne recherchée n'est peut-être qu'elle-même…

L'auteure des *Filles*, appréciée pour l'humanité de ses portraits d'êtres insolites autant qu'attachants, montre avec humour et délicatesse que des miracles se produisent parfois – et pas toujours là où on les attend.

ISBN 978-2-8098-0553-6 / H 50-8613-7 / 368 pages / 22 €

Thrity Umrigar

# LE POIDS DU PARADIS

Depuis le décès de leur fils unique de sept ans, Ellie et Frank se sont enfermés dans leur chagrin, devenant l'un pour l'autre des étrangers. Lorsque Frank se voit proposer une mutation en Inde, son épouse le pousse à accepter, considérant cette expatriation comme le moyen de prendre un nouveau départ.

Sur place, Ellie tombe sous le charme des paysages envoûtants. Frank, lui, connaît des problèmes avec les ouvriers de l'usine qu'il dirige. Mais Ramesh, le fils de leurs employés de maison, va lui redonner goût à la vie. Frank s'entiche du jeune garçon. Une affection qui se mue peu à peu en obsession.

Servi par un style et une écriture sensibles, *Le Poids du Paradis*, réflexion sur le choc des cultures et le deuil, rend à merveille l'atmosphère indienne : chaude, colorée, étouffante parfois, à l'instar du drame qui couve...

*Née à Bombay où elle a passé les vingt et une premières années de sa vie avant d'émigrer aux États-Unis, **Thrity Umrigar** est journaliste – notamment au* Washington Post *et au* Boston Globe *– et poète. Elle est l'auteur de quatre romans, dont* Tous ces silences entre nous *(Flammarion, 2007), publié dans 13 pays.*

« Thrity Umrigar confirme qu'elle est un écrivain de talent. La tension monte, on pressent le pire. Mais on ne peut que se laisser emporter par son roman au charme dévastateur. »
*Publishers Weekly*

ISBN 978-2809-80366-2 / H 50-7761-5 / 396 pages / 22 €

AUX ÉDITIONS ÉCRITURE

Elizabeth Strout

# OLIVE KITTERIDGE

Olive est l'épouse du pharmacien de Crosby, petite ville côtière du Maine. Elle est la mère de Christopher, qu'elle étouffe. Et aussi ce professeur de mathématiques tyrannique, au franc-parler souvent blessant, capable pourtant de surprenants élans de bonté.

Olive Kitteridge traverse cette fresque polyphonique où le destin des habitants de Crosby – héros ordinaires – s'entremêle sur une période de trente ans. Éclate alors une personnalité hors normes, une femme *a priori* peu aimable, mais ô combien attachante.

Ce portrait composé par fragments offre d'Olive une multitude d'éclairages – parfois contradictoires, toujours justes. Rarement un écrivain a approché avec une telle puissance la singularité et la complexité de la nature humaine – son universalité, aussi.

Salué outre-Atlantique pour la virtuosité de sa construction et la finesse de son ton, *Olive Kitteridge* s'inscrit dans la lignée de romans américains tels *Le cœur est un chasseur solitaire*, de Carson McCullers, ou *Les Corrections*, de Jonathan Franzen.

*Elizabeth Strout est née en 1956 à Portland, dans le Maine (États-Unis). Après des études de droit, elle s'installe à New York et publie des nouvelles dans différentes revues littéraires. Elle met sept ans à rédiger son premier roman,* Amy et Isabelle. *En 2009, elle reçoit le prix Pulitzer pour* Olive Kitteridge, *publié dans 26 pays.*

« Olive Kitteridge est un personnage follement original,
une vraie force de la nature. Dès qu'elle sort de scène, on la réclame ! »
*San Francisco Chronicle*

**PRIX PULITZER
DE LITTÉRATURE 2009**

ISBN 978-2-35905-006-6 / H 50-5356-6 / 384 pages / 22 €

*Cet ouvrage a été composé*
*par Atlant'Communication*
*au Bernard (Vendée)*

*Achevé d'imprimer sur Roto-Page*
*par l'Imprimerie Floch à Mayenne*
*en décembre 2011*
*pour le compte des Éditions de l'Archipel*
*département éditorial*
*de la S.A.S. Écriture-Communication*

*Imprimé en France*
N° d'impression : 81315
Dépôt légal : janvier 2012